Enter

動かしながらゼロから学ぶ

# Linux カーネルの 教科書

### 第 2 版

末安 泰三 著

日経Linux 編

日経BP

●本書で紹介しているプログラムおよび操作は、2024年6月の環境に基づいています。
●本書発行後にLinux環境がアップデートされることにより、誌面通りに動作しなかったり、表示が異なったりする場合があります。あらかじめご了承ください。
●本書に基づき操作した結果、直接的、間接的な被害が生じた場合でも、日経BPならび著者はいかなる責任も負いません。ご自身の責任と判断でご利用ください。

# はじめに

　1991年に一人の大学生が趣味で開発を始めた「Linux」(リナックス) というOSは、今や、あらゆる分野で使われていると言っても過言ではありません。組み込み機器やスマートフォンなどのモバイル機器、パソコンのOSとしてはもちろん、スーパーコンピュータのOSとしても使われています。

　そのLinuxの心臓部が、本書で解説する「カーネル」です。Linuxのカーネルは、多種多様な機能を備える複雑なソフトウエアです。Linuxを使いこなすには、カーネルについて、ある程度の知識を身に付けておく必要があります。

　幸い、LinuxのカーネルはOSS (Open Source Software) として開発されていて、ソースコードがすべて公開されています。そのソースコードを調べれば、機能の詳細や動作の仕組みが分かりますし、改造して好きなようにカスタマイズすることもできます。

　ただし、Linuxカーネルのソースコードは量が非常に多く、読み解くのは大変です。慣れていなければ、どこから手を付ければよいのか分からないほどです。本書がターゲットにするバージョン6.6系のカーネルのソースコードは、全体で3000万行以上あります。カーネルのソースコードを読み解くには、ハードウエアに関する知識も求められます。

　本書の狙いは、Linuxカーネルについて知りたい方に、学習の「入り口」を提供することです。まずはカーネルの全体像を把握して実験できるように、概要解説とモジュールの管理方法、ビルド手順の紹介から始めています。後半では、主だった機能をピックアップし、動作に必要なハードウエアに関するものを含めて仕組みをやや詳しく解説しています。

　第2版では、カーネルやディストリビューションの変化に合わせて内容をアップデートすると共に、「プロセス間通信」「仮想化機能」についての解説を追加しました。

　機能解説の章では、カーネルの動作や機能を調査する方法、カーネルをカスタマイズして動作を変更する方法などを多数紹介しています。前述の通り、ソースコードを見たり、カスタマイズしたりできるのがLinuxカーネルの魅力です。実際に手を動かして、理解を深めていきましょう。

# Contents

## 第1章　Linuxカーネルの基礎

## 第2章　Linuxカーネルのモジュール管理

# 第3章　Linuxカーネルのビルド方法

# 第4章　タスクスケジューラの仕組み

# 第5章　仮想メモリーを実現する仕組み

# 第6章　コンテキストスイッチの仕組み

# 第7章　物理メモリー管理の仕組み

# 第8章　ファイルシステムの仕組み

# 第9章 プロセス間通信の仕組み

# 第10章 仮想化機能「KVM」の仕組み

# 第1章

# Linuxカーネルの
# 基礎

本章では、Linux カーネルとは何か、どのような機能を提供していて、どのような仕組みになっているのかなどについての全体像を解説します。ここで紹介する機能の一部は、後続の章で詳しく解説しますが、まずはここで大まかなイメージを把握しておきましょう。

## 1-1 Linuxカーネルとは何か

コンピュータのハードウエアを制御して、アプリケーションの実行環境や対人インタフェースなどを提供するソフトウエアがOS（Operating System）です。OSの主な役割としては、（1）キー入力やマウスクリックをはじめとするコンピュータを操作するためのインタフェースを提供する、（2）アプリケーションが共通で使う機能を提供する、（3）面倒で複雑なハードウエア制御をアプリケーションの代わりに担当する、といったものが挙げられます。

OSは一般的に複数のソフトウエア部品から構成されます。そのソフトウエア部品のうち、中核的な役割を担うのが「カーネル」（kernel）です。カーネルとは、植物の種子の内部にある「仁」（じん）を示す英単語です。OSのユーザーインタフェース（あるいはアプリケーションインタフェース）部分を種子の殻（シェル*1）に見立て、その内部にある重要な部分だということで、この名が付けられています（**図1**）。

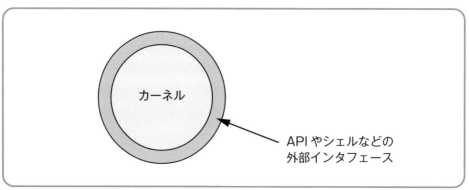

**図1　カーネルの名前の由来**
カーネルとは、植物の種子の内部にある「仁」（じん）のことです。OSのユーザーインタフェース部分を種子の殻に、その内部にある重要な部分を仁に見立ててこの名が付けられています。

カーネルが担当する機能は、OSによって異なります。例えば、メモリー管理とプログラムの実行制御については、多くのOSでカーネルが担当します。一方、データを「ファイル」の形で読み書きできるようにするファイルシステムやハードウエア制御用のデバイスドライバなどについては、カーネルとは別のソフトウエアにしているOSもあります。

Linuxのカーネルは、ファイルシステムやデバイスドライバなども包含していて、担当する機能の範囲が比較的広い方に分類されます（**図2**）。

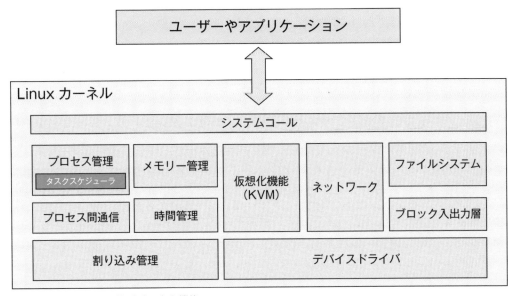

図2　Linuxカーネルが担当する主な機能
Linuxではカーネルの担当領域が広く、ハードウエア制御用のデバイスドライバやファイルシステム、ネットワーク機能などもカーネルに含まれます。

本章では、このうちカーネルの主要な機能であるタスク管理とメモリー管理、デバイスドライバを含むデバイス管理、ファイルシステム、ネットワークについて簡単に説明します。タスク管理については第4章、メモリー管理については第5章と第7章、その両者に関係するコンテキストスイッチについては第6章、ファイルシステムについては第8章、プロセス間通信については第9章、仮想化機能については第10章でやや詳しく解説します。

安定性やセキュリティ、メンテナンス性などの向上を狙って、カーネルが担当する機能を極端に少なくしたOSもあります。そうしたOSのカーネルは「マイクロカーネル」と呼ばれます。マイクロカーネルを採用するOSには、**GNU Hurd**＊や**MINIX**＊、初期のWindows NTなどがあります。マイクロカーネルに対してLinuxのような

＊1　ユーザーインタフェースを提供するソフトウエアを「シェル」と呼ぶのはこのためです。
【GNU Hurd】GNUプロジェクト（後述）が開発するマイクロカーネルと、それを採用するOSのことです。公式Webページの URLは「https://www.gnu.org/software/hurd/」。
【MINIX】コンピュータ科学者であるAndrew Tanenbaum氏が開発した教育用のOSです。最新版であるバージョン3系列の公式WebページのURLは「https://www.minix3.org/」。

11

カーネルは、一枚岩を意味する「モノリス」という単語に由来する「モノリシックカーネル」と呼ばれます。

## UNIX互換システムコールを提供

　アプリケーションがカーネル配下の機能を使ったり、ハードウエア資源を操作したりする場合には、一般に「システムコール」と呼ばれる仕組みを使って処理をカーネルに依頼します。

　Linuxカーネルの機能面での最大の特徴は、提供するシステムコールがUNIXというOSと、ほぼ共通であるということです。UNIXは、1969年に開発が始まった歴史のあるOSです。マルチタスクやマルチユーザーなどの当時としては先進的な機能を、移植性の高いプログラミング言語でコンパクトに実装したことなどで人気を博しました。1980年代前半頃までは主に教育機関で普及しましたが、1980年代に入ってからはビジネス用途にも普及し、従来メインフレームで行っていた処理を、UNIXを搭載した汎用サーバーやワークステーションなどのオープンシステムで置き換える「ダウンサイジング」が流行しました。

　普及に伴って、UNIXにはさまざまな派生版が開発されました。また、UNIXと類似する機能を持つOSも多数開発されました。そうなると問題になってくるのが、アプリケーションの互換性です。さまざまなUNIX系OS同士でアプリケーションの互換性を保つための標準化の動きが生じ、「POSIX＊」などの共通インタフェース規格が定められました。Linuxカーネルでは、POSIXなどに準拠する形でシステムコールが提供されています。

　Linuxカーネルで利用できるシステムコールについては、次のコマンドを実行することで調べられます。

```
$ man syscalls ⏎
```

　なお、システムコールには共通性がありますが、Linuxカーネルは、既存のUNIX系OSのソースコードを流用せずに一から開発されています。

## Linuxはカーネルの名称

「Linux」とは本来、カーネル部分のみを指す名称です。Linuxカーネルは、1991年に当時フィンランドのヘルシンキ大学の学生であったLinus Torvalds（リーナス・トーバルズ）氏が開発を始めました。同氏は、2024年時点でもLinuxカーネルの開発を統括しています。Linuxという名称は、同氏の名前とUNIXの名称を組み合わせて名付けられました。

このLinuxカーネルに、ライブラリやシェルなどの基本コマンド、GUIシステムといったカーネル以外のOS部品を加え、一つのOSとして配布・利用できる形にまとめたものが「Linuxディストリビューション」です。組み合わせるソフトウエアや設定などの違いによってさまざまなLinuxディストリビューションが存在しています。例えば、デスクトップ用途に普及している「Ubuntu」や、エンタープライズ分野で普及している「Red Hat Enterprise Linux」「AlmaLinux OS」などのディストリビューションがあります。現在では単にLinuxと言った場合、Linuxディストリビューションのことを指すこともあります。

多くのLinuxディストリビューションが、カーネル以外のOS部品として、「GNUプロジェクト」というフリーなUNIX互換システムを作成する目的で活動するプロジェクトの成果物を利用していることから、こうしたLinuxディストリビューションを「GNU/Linuxシステム」と呼ぶこともあります。

システムコールがUNIXと共通であることから、LinuxにはUNIX向けの各種プログラムを移植しやすい特徴があります。GNUプロジェクトの成果物をスムーズに利用できたのもこの特徴のためです。

---

【POSIX】UNIX系OSの間でのアプリケーションの移植性を高めることを目的にIEEEが策定した共通API（Application Programming Interface）規格。POSIXの一部としてシステムコールについても定められています。

## 1-2 Linuxカーネルを学習する意義

　Linuxカーネルを学習する動機や意義は人によってさまざまでしょう。

　しかし、自動車のエンジンやトランスミッションの仕組みを理解することで、より効率的な運転が可能になるように、OSの中核部品であるカーネルの動作を理解すれば、アプリケーションやシステム全体を効率的に稼働できるようになるといえます（図3上）。例えば、ある周辺機器を動かすのに必要なデバイスドライバにカーネル空間で動作するものとユーザー空間で動作するものの二つがあった場合、基本的には前者の方が処理は高速です。なぜ高速なのかという理屈を知っておけば、適切なデバイスドライバを選択できます。

**アプリケーションやシステム全体を効率的に稼働できるようになる**

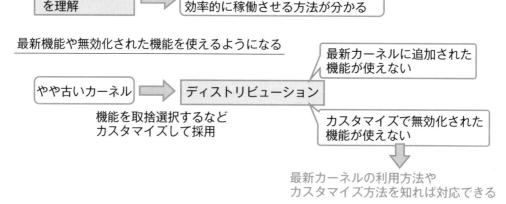

**カーネル機能を自在に制御できるようになる**

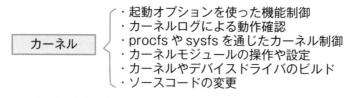

図3　Linuxカーネルを学習する意味
Linuxカーネルについて知ることで、アプリケーションやシステム全体を効率的に動かせるようになります。また、最新機能や無効化された機能の利用や、機能の自由な制御などが可能になります。

　OS（ディストリビューション）とカーネルが別々に開発されており、しかもカー

ネルの開発速度が速いLinuxならではの意義もあります。

　ディストリビューションの開発者は、採用するカーネルのバージョンを選択し、それを独自の基準でカスタマイズしてディストリビューションに組み込みます。そのため、最新のカーネルにしか存在しない機能など、利用者が必要なカーネル機能がディストリビューションによっては利用できないことがあります。そうした場合には、利用者自身が最新カーネルをインストールしたり、カーネルをカスタマイズしたりする必要があります（図3中）。こうしたときにLinuxカーネルに関する知識が求められます。

　また、カーネルの設定やソースコードを変更できるようになれば、カーネル機能を自在に制御できるようになります（図3下）。例えば筆者は、米Broadcom社のLSISAS2108チップを搭載する、シリアルATAのHBA（Host Bus Adapter）機能が公式には提供されていないSAS RAIDカードを、Linuxカーネルのソースコードを1行だけ書き換えることで、HBA機能を有効にして利用しています（図4）。

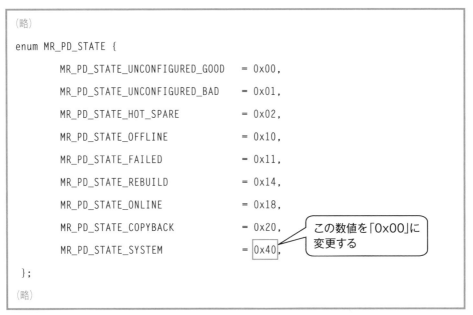

```
(略)
enum MR_PD_STATE {
        MR_PD_STATE_UNCONFIGURED_GOOD   = 0x00,
        MR_PD_STATE_UNCONFIGURED_BAD    = 0x01,
        MR_PD_STATE_HOT_SPARE           = 0x02,
        MR_PD_STATE_OFFLINE             = 0x10,
        MR_PD_STATE_FAILED              = 0x11,
        MR_PD_STATE_REBUILD             = 0x14,
        MR_PD_STATE_ONLINE              = 0x18,
        MR_PD_STATE_COPYBACK            = 0x20,
        MR_PD_STATE_SYSTEM              = 0x40,
};
(略)
```

この数値を「0x00」に変更する

**図4　デバイスドライバの書き換え例**
「driver/scsi/megaraid/megaraid_sas.h」ファイルを図のように書き換えることで、とあるSAS RAIDカードをSATA HBAカードとして利用可能にできます。

　書き換えているのは「megaraid_sas」というデバイスドライバです。このドライバは、SAS RAIDカードがMR_PD_STATE_SYSTEMという定数で示されるステー

タス値のときに、接続しているハードディスクへの個別のアクセスを許可する作り
になっています。この書き換えでは、「RAID構成を未設定だが良好な状態」を示す
ステータス値（0x00）を、本来のステータス値（0x40）の代わりにMR_PD_
STATE_SYSTEMに設定しています。

　強引な書き換えで、推奨できるものではありませんが、筆者はこのように書き換
えたドライバで10年以上ファイルサーバーを運用しており、特に問題は生じていま
せん。

　Linuxカーネルの起動時に渡す「起動オプション」（「カーネルパラメータ」とも
呼びます）を使って機能を制御することもできます。例えば、「console=ttyS0」
「earlyprintk=ttyS0」という起動オプションを指定すると、「/dev/ttyS0」と認識さ
れるシリアルポートに接続した**シリアル端末**＊にカーネルが出力するメッセージを
表示したり、コンソールを表示してLinux環境を操作したりできます。

　Ubuntu 24.04 LTSでこれらの起動オプションを指定するには、「/etc/default/
grub」ファイルのGRUB_CMDLINE_LINUX行を次のように書き換えてから、「sudo
update-grub」コマンドを実行します。

```
GRUB_CMDLINE_LINUX="console=ttyS0 earlyprintk=ttyS0"
```

　起動オプションを削除するには、/etc/default/grubファイルの記述を元に戻して
から、「sudo update-grub」コマンドを実行します。

　AlmaLinux 9でこれらの起動オプションを指定するには、次のようにgrubbyコ
マンドを実行します。

```
$ sudo grubby --update-kernel=ALL --args='console=ttyS0 earlyprintk
=ttyS0' ⏎
```

　起動オプションを削除するには、次のようにgrubbyコマンドを実行します。

```
$ sudo grubby --update-kernel=ALL --remove-args='console=ttyS0 earl
yprintk=ttyS0' ⏎
```

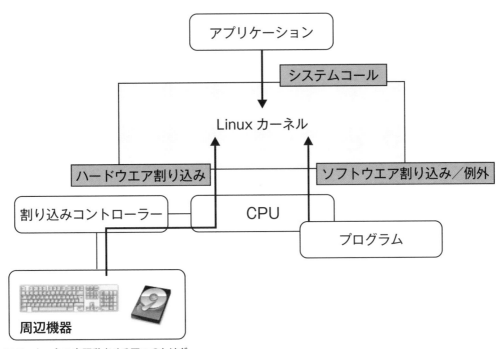# 1-3 カーネルはイベント駆動型

Linuxカーネルに限らず、多くのOSのカーネル（あるいはOSそのもの）は、起動時以外、自発的には動作しません。カーネルの実行コードそのものは常時メモリーに読み込まれた状況になっていますが、通常は実行されず、ハードウエアやコマンド、アプリケーションなどから何らかの指令があった場合にだけ実行されます。

このように、何らかのイベントが動作の引き金となるタイプのプログラムを「イベント駆動型プログラム」と呼びます。限られた処理だけを実施すればよいアプリケーションプログラムと違い、カーネルは要求に応じて多種多様な処理を実施しなければなりませんからイベント駆動型プログラムとして作成するのが自然です。

カーネルの処理のきっかけとなるイベントには主に三つの種類があります（**図5**）。

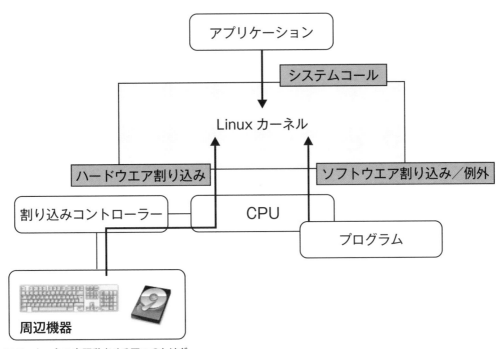

図5　カーネルを駆動させる三つのトリガー
カーネルは基本的に、周辺機器からCPUに送られる信号による「ハードウエア割り込み」（外部割り込み）、ソフトウエアの動作によってCPU内で発生する「ソフトウエア割り込み／例外」（内部割り込み）、そしてアプリケーションが発行する「システムコール」のいずれかによって処理を始めます。

【シリアル端末】対象機器のシリアルポートに接続して操作できる端末あるいは端末機能を提供するソフトウエアのこと。

具体的には、周辺機器からCPUに送られる信号による「ハードウエア割り込み」（外部割り込み）、ソフトウエアの動作によってCPU内で発生する「ソフトウエア割り込み／例外」（内部割り込み）、そしてアプリケーションが発行する「システムコール」の3種類です。

## 割り込みとは

　「割り込み」とは、現在処理中の作業を一時中断して別の処理を実施すること、またはその仕組みのことです。ほとんどのCPUは、割り込みをサポートしています[2]。
　割り込みによってCPUが実施する処理は単純です（**図6**）。割り込みが発生するとCPUは、記憶装置の特定箇所にある「割り込みベクター」を参照し、そこに設定されているアドレス（メモリー番地）にあるプログラムを実行します。ここで実行される割り込み処理用プログラムを「割り込みハンドラー」と呼びます。

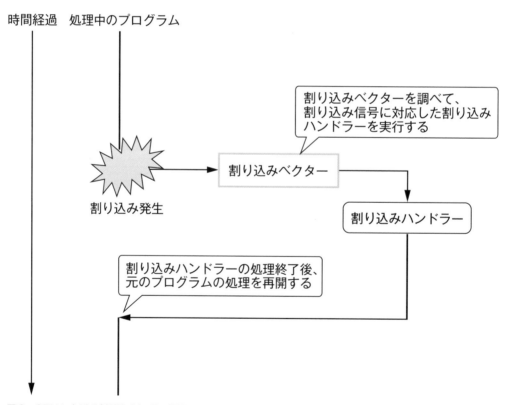

**図6　CPUにおける割り込み処理の概要**
割り込みが発生すると、CPUは記憶装置の特定箇所にある「割り込みベクター」を参照し、そこに設定されているアドレスにある「割り込みハンドラー」を実行します。割り込みハンドラー実行後は、割り込み前の元の処理を再開します。

　割り込みハンドラー末尾には、割り込み処理を終了させる命令が記述してあり、それを実行することで割り込み前の元の処理を再開できます。複数の割り込み信号をサポートしたCPUでは、割り込みベクターに割り込み信号ごとに異なるアドレスを設定でき、異なる割り込みハンドラーを実行できます。

　割り込みは、いつ状態が変化するか分からないものを取り扱う場合に便利な仕組みです。例えば、キーボードからの入力を考えてみましょう。割り込みがない場合は、キー入力が必要なプログラム内部で、ことあるごとにキーボードを調べ、キーが押し下げられているかどうか、押し下げられているキーの種類は何かなどを調査しなければなりません*3。調査頻度が少ないとキーの反応が悪くなりますし、逆に多過ぎると他の処理の効率が下がります。一方、割り込みを利用すれば、キーが押し下げられた場合にだけキー入力処理を実施することが簡単にできます。

　割り込みには、外部デバイスから割り込みコントローラーなどを通じて送られる信号による「ハードウエア割り込み」のほか、ソフトウエアの動作によってCPU内部で発生する「ソフトウエア割り込み」があります。ソフトウエア割り込みのうち、ソフトウエアの異常動作やエラーを通知するのに使われるものを「例外」と呼びます。例えば、0で除算する処理を実施した場合や、アクセスが禁止されているメモリー領域にアクセスを実施した場合などに例外が発生します。

## 元々はシステムコールでも利用

　一般アプリケーションでは実施できないハードウエアの直接制御やカーネルの動作制御のために用意されているのがシステムコールです。割り込みは、このシステムコールの呼び出しの際にも使われていました。

　システムコールはアプリケーションが呼び出しますが、アプリケーションが実施するのはあくまでも「カーネルへの処理の依頼」です。システムコールに応じた処理はカーネル自身が行います。この実行主体の切り替えに使われていたのがソフトウエア割り込みです。

　例えば、x86プロセッサ向けのLinuxではソフトウエア割り込みを発生させるint命令を使ってシステムコールを呼び出していました。この割り込みによってカーネ

----

＊2　シャープがかつて販売していたポケットコンピュータ（PC-1200シリーズなど）が搭載する「ESR-H」（SC61860）のように、割り込みをサポートしないCPUも存在します。
＊3　昔の8ビットパソコンの一部機種では、実際にこの方式が使われていました。

ルが動作を始め、依頼された処理を実施する仕組みになっていました（**図7**）。

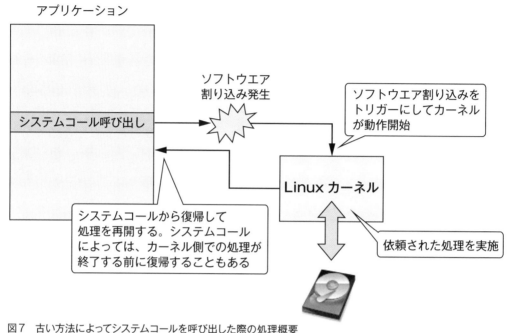

図7　古い方法によってシステムコールを呼び出した際の処理概要
システムコールを呼び出すと、カーネルに処理を依頼するソフトウエア割り込みが発生します。この割り込みによってカーネルが動作を開始し、依頼された処理を実施します。

　ソフトウエア割り込みを使ったシステムコールの呼び出しは、現在のLinuxカーネルでも可能です＊4。しかし、ソフトウエア割り込みを使う方法には処理速度が遅いという問題があります。そのため現在では、割り込みを発生させずに直接カーネル空間のプログラムに動作を切り替えられる命令を使ってシステムコールを呼び出す方法が主に使われています。64ビットのx86プロセッサではsyscall命令、32ビットのx86プロセッサではsysenter命令がこの目的で利用されます。

---

＊4　32ビットアプリケーション向けのシステムコールの場合です。64ビットアプリケーション向けのシステムコールは、
　　ソフトウエア割り込みを使う方法では呼び出せません。

# 1-4　タスク管理の仕組み

　Linuxでプログラムを実行すると「プロセス」または「スレッド」が作成されます。プロセスとは、主メモリーに読み込まれ、独立したメモリー空間[*5]を割り当てられて稼働中のプログラムのことです（**図8**）。Linuxにおけるスレッドとは、はかのプロセスやスレッドとメモリー空間を共有する特殊なプロセスのことです。

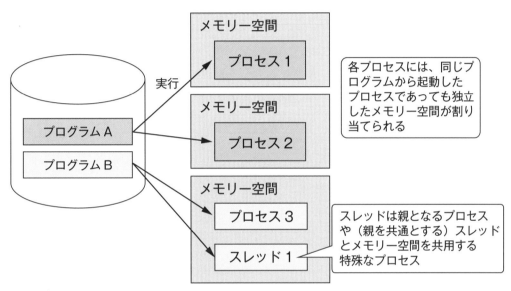

図8　プロセスとスレッド
プロセスとは、主メモリー上で独立したメモリー空間を割り当てられて動いているプログラムのことです。スレッドとは、親となるプロセスや（親を共通とする）スレッドとメモリー空間を共有する特殊なプロセスのことです。

　プロセスやスレッドには個別の「プロセスID」という管理番号が割り当てられます。現在システムで稼働中のプロセスやスレッドの一覧、そしてそれらのプロセスIDは、次のようにpsコマンドを実行すれば分かります。

```
$ ps aux ⏎
```

　なお、スレッドの中にはカーネルの動作を補助する目的で実行される「カーネル

---

*5　このメモリー空間については、1-5節で解説します。

スレッド」と呼ばれる特殊なものがあります。カーネルスレッドは、主メモリーにキャッシュ＊（一時記憶）したデータをディスクに書き出す処理のように、カーネル内部で定期的に実施される処理などに利用されます。psコマンドの出力ではスレッド名が大括弧に囲まれた形（[kblockd]のような形）で表示されます。

## 時分割処理で並行処理を実現

　Linuxカーネルは、CPUやCPUコアの数が一つであっても、複数のプロセスやスレッドを同時に稼働できます。これは、CPUで実行するプロセスやスレッド（以下、この両者をまとめてタスクと呼びます）をカーネルが短い間隔で切り替える（時分割処理する）ことで実現しています。CPUやCPUコアの数が一つの場合、ある瞬間に稼働するタスクは一つなのですが、切り替え時間が短いために、あたかも複数のタスクが同時に稼働しているように感じられるわけです（**図9**）。このように複数の処理を疑似的に同時に実行することを並行処理（concurrent processing）と呼びます。

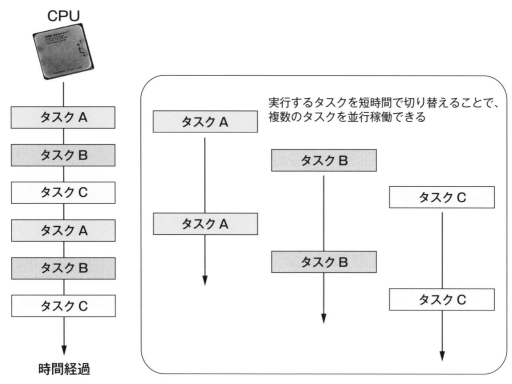

**図9　並行処理を可能にする仕組み**
CPUで実行するタスクをカーネルが短い間隔で切り替える（時分割処理する）ことで、並行処理を実現しています。

複数のCPUやCPUコアを装備するPCでは同時に稼働できるタスクの数が増えます。この場合も時分割処理をすることで、CPU数やCPUコア数以上のタスクを（見かけ上）同時に稼働できます。

## タスクスケジューラが管理

実行待ち状態のタスク群から、どのタスクをどのぐらいの期間、どのCPU（コア）で実行するかを管理するのが、カーネル内の「タスクスケジューラ」（「プロセススケジューラ」とも呼ばれます）の役割です（**図10**）。タスクスケジューラに求められるのは、各タスクを「公平に」かつ「効率良く」実行することです。

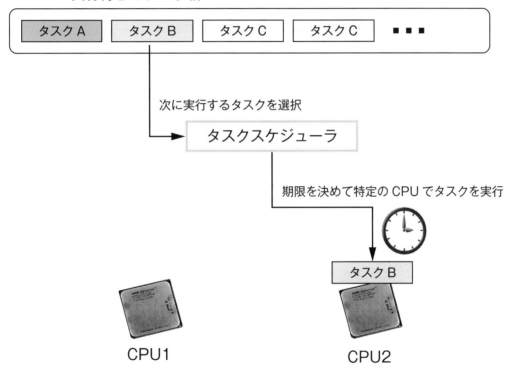

図10　タスクスケジューラ
実行待ち状態のタスク群から、どのタスクをどのぐらいの期間、どのCPU（コア）で実行するかを管理するのが、カーネル内の「タスクスケジューラ」の役割です。

【キャッシュ】高速にアクセスできるメモリー領域にデータを一時保存すること。主に処理高速化のために使われます。また、キャッシュ処理に使うメモリー領域（キャッシュメモリー）を指すこともあります。

単純に考えると、すべてのタスクを一定時間ずつ順に実行すれば公平性を実現できるように思えます。しかしプロセスの中には、常時CPUを使って演算するものもあれば、ユーザーの入力待ちやデバイスの入出力処理待ちがありCPUをあまり使わないものもあります。この両者を同じ期間ずつ切り替えて実行すると、前者は与えられた期間中フルにCPUを使えますが、後者はすぐに待機状態に移行してしまって、実際には極めて短い期間しかCPUを使えなくなります。結果として、後者のようなタスクの応答性が悪化するなどの問題が生じます。

　そこで現在のLinuxカーネルでは、各タスクに配分されるべき理想的なCPU時間を算出し、それより多くCPU時間を使ったタスクを直近には実行しないタスクスケジューラを採用しています。それによって各タスクのCPU使用時間が平準化されることになり、公平性を実現できます。

　タスクスケジューラについては第4章で詳しく解説します。

# 1-5 メモリー管理の仕組み

　前述の通り、Linuxカーネルは複数のプロセスを稼働できます。また、複数のユーザーがシステムを共同利用する「マルチユーザー利用」にも対応しています。このようなOSでは、各プロセスが利用するメモリー領域が重ならないようにする仕組みや、各ユーザーのプロセスのデータを盗み見たり、破壊したりできないようにする仕組みが必要です。

　そのため、LinuxなどのUNIX系OSでは、各プロセスを独立した**アドレス**\*を割り振ったメモリー空間内で動作させます。ここで割り振るアドレスは、コンピュータに実装されている物理的な主メモリーのアドレスとは直接は関係ありません。そこで、各プロセスのメモリー空間に割り当てるアドレスのことを「仮想アドレス」と呼び、メモリー空間の方は「仮想アドレス空間」や「仮想メモリー空間」と呼びます（**図11**）。

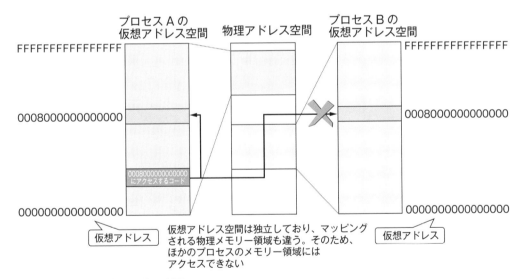

**図11　仮想アドレス空間のイメージ図**
UNIX系OSでは、各プロセスを独立したアドレス体系を持つ「仮想アドレス空間」で稼働させます。こうすることで、あるプロセス内部でどのようなアドレスにアクセスしても、ほかのプロセスの情報を参照したり、変更したりできなくなります。

【アドレス】メモリーの位置を示すために割り振る番号のこと。メモリーアドレスとも呼びます。データの入出力やプログラムのジャンプ先などには、このアドレスを指定します。

各プロセスに、独立した仮想アドレス空間を割り当てることで、あるプロセス内部でどのようなアドレスにアクセスしても、ほかのプロセスの情報を参照したり、変更したりできなくなります。

　ただし、仮想アドレス空間は仮想的に作り出したメモリー領域で実体を持ちません。実際に利用する場合は、物理メモリー領域（これを「物理アドレス空間」あるいは「物理メモリー空間」と呼びます）にマッピングする必要があります。

### ページング方式を採用

　仮想アドレス空間と物理アドレス空間のマッピング方法は複数ありますが、Linuxでは「ページング」と呼ばれる方式を採用しています。ページングは、メモリー領域を小さな固定長の「ページ」の集合と捉え、このページ単位でメモリーを管理する方式です（**図12**）。

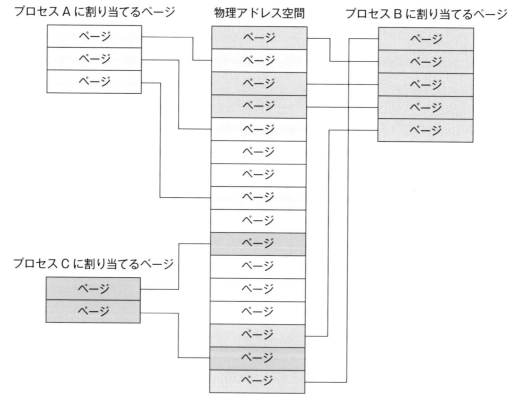

**図12　ページング方式を採用**
Linuxでは「ページング」と呼ばれる方式で、仮想アドレス空間と物理アドレス空間をマッピングします。ページングは、メモリー領域を小さな固定長の「ページ」の集合と捉え、ページ単位にメモリーを管理する方式です。

　最近のCPUのMMU（メモリー管理ユニット）はページング対応機能を備えています。こうしたCPUでは、仮想アドレスと物理アドレスを対応付けるためのアドレス変換用テーブル（これをページテーブルと呼びます）を設定することで、自動的なアドレス変換を実現できます。ページテーブルは主メモリー上に配置し、CPU内の特殊な制御レジスタ*6に（現在利用中の仮想アドレスに対応する）ページテーブルの位置を示す情報（物理アドレスなど）をセットしておく仕組みが一般的です（**図13**）。アドレス変換のたびにページテーブルを参照すると速度が低下するため、多くのCPUが、変換処理を高速化するための「TLB」（Translation Lookaside Buffer）というキャッシュを備えています。

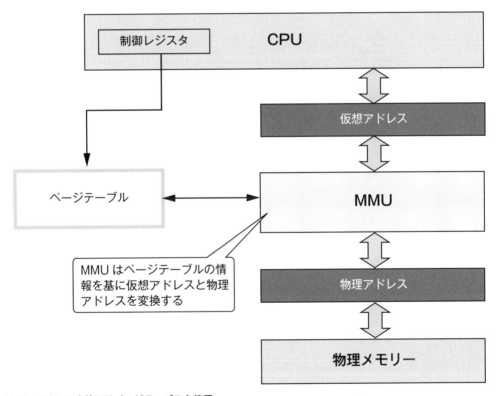

**図13　アドレス変換にはページテーブルを使用**
ページング対応CPUのMMU（メモリー管理ユニット）は、アドレス変換用テーブル（ページテーブル）を参照して仮想アドレスと物理アドレスを変換します。ページテーブルは主メモリー上に配置し、CPU内の制御レジスタにページテーブルの位置を示す情報をセットしておく仕組みが一般的です。

---

＊6　x86プロセッサの場合は「cr3」という制御用レジスタを使います。

Linuxカーネルのメモリー管理機構は、ページング対応MMUを備えるCPUの利用を前提に実装されています[7]。i386（80386）以降のx86プロセッサ（とそのMMU）はすべてページングをサポートしています。x86プロセッサの標準のページサイズは4Kバイトで、Linuxにおいてもこのページサイズを標準にしています。

　なお現在では、CPUのLSIパッケージにMMUが内蔵される製品が一般的になっています。しかし、かつては、CPUとMMUが独立したLSIパッケージになっている製品もありました。図14は、そうした製品の例です。奥が米Zilog社の16ビットCPU「Z8001」で、手前がそのMMU「Z8010」です。これらは、初期のUNIXワークステーションで使われていました[8]。

**図14　CPUとMMUが独立したLSIパッケージになっている製品の例**
奥が米Zilog社の16ビットCPU「Z8001」で、手前がそのMMU「Z8010」です。

　カーネルはプロセスの生成時に、そのプロセスの仮想アドレス空間用のページテーブルを作成します。そしてプロセスの管理情報（タスク構造体）に、そのページテーブルの位置を示す情報を格納しておきます。CPUで実行するプロセスを切り替える際は、カーネルがプロセス管理情報を基に、CPUのページテーブル参照用レジスタの内容を書き換えます。これにより、各プロセスを独立した仮想アドレス空間内で動かすことができます。

　なお、単一のページテーブルではサイズが大きくなり過ぎるため、多くのCPUではテーブルを複数段に分割して、階層的な変換を行うようにしています。ページテーブルを多段化した上で、実際に利用された物理ページに関するテーブルだけを保持するようにすることで、ページテーブルのメモリー使用量を削減できます。Linuxカーネルは、5段までのページテーブルに対応する実装になっています。

### 物理ページは使用する際に割り当てる

　プロセス生成時に専用の仮想アドレス空間が作られるのは前述の通りです。この仮想アドレス空間のサイズは64ビットのx86プロセッサでは16E（エクサ）バイトです[9]。

　しかしもちろん、この仮想アドレス空間にある仮想ページすべてに物理ページが割り当てられるわけではありません。そんなことをしようとすれば、1プロセスで実メモリーを使い切ってしまいます。

　無駄を避けるために、物理ページは、仮想ページに対して実際に入出力処理をしようとした際に初めて割り当てられます（図15）。このような割り当て方式を「デマンドページング」と呼びます。デマンドページング方式であれば、実際に使った分だけのメモリーしか消費されませんから効率的です。

**①プロセス生成直後**
プロセス A のメモリー空間の仮想ページには
物理ページが割り当てられていない

| 仮想ページ |
| ⋮ |
| 仮想ページ |

**②仮想ページへのアクセスで例外発生**
いずれかの仮想ページにアクセスすると、
物理ページが割り当てられていないために
例外が発生する

**③カーネルが物理ページを割り当て**
例外が発生した仮想ページに物理ページを
割り当てる

**④②のアクセス処理を継続**
②のメモリーアクセス処理を継続

図15　デマンドページングの仕組み
使用していない仮想ページに物理ページを割り当てる無駄を避けるため、このようなデマンドページング方式で物理ページを割り当てます。

---

＊7　Linuxカーネルはページング非対応の一部のCPUでも稼働しますが、これは特殊なケースのため無視します。
＊8　ただし、これらはページングには対応していません。後継CPU「Z8003」「Z8004」とMMU「Z8015」の組み合わせは、ページングに対応しています。
＊9　約1600万Tバイトです。ただし、現在のLinuxでは、これらのすべての空間を利用可能なわけではありません。

図15にある通り、デマンドページングは「例外」を利用して実装されています。プロセスが物理ページ未割り当ての仮想ページにアクセスすると「ページフォルト」というアクセス失敗を示すメモリー管理例外が発生します。この例外をトリガーにして物理ページの割り当て処理を実施し、元の仮想ページのアクセス処理を再開させることでデマンドページングが実現できます。

## メモリースワッピング

　空き物理メモリーが少なくなってくると、Linuxカーネルは、使用中のページを調査して新規利用可能なページを確保する処理を実施します。これを「ページ回収処理」と呼びます。

　ページ回収処理では、最近アクセスされていないページを主に回収対象にします。コンピュータのメモリーには「時間的局所性」という性質があり、直近にアクセスされたページは近い未来に再度アクセスされる可能性が高く、その逆に、最近アクセスされていないページは近い未来に再度アクセスされる可能性が低いからです。ページが最近アクセスされたかどうかを調べやすくするため、Linuxカーネルは「LRUリスト」（Least Recently Usedリスト）を使って使用中の物理ページを管理しています。

　ページ回収処理では、主に二つの処理を実施します。一つは、**ページキャッシュ**＊に利用している物理ページの内容を破棄して空き物理ページにする処理です。ページキャッシュは処理高速化のためにファイルのデータをコピーしたものです。必要になったら再度ファイルからデータを読み出せばよいわけですから、内容が変更されていなければ破棄して構いません。内容が変更されているページキャッシュ（これをダーティーなページキャッシュなどと呼びます）については、一度データをファイルに書き戻す必要があります。カーネルはダーティーなページキャッシュを書き戻す処理を定期的に実施しています。

　もう一つは、プロセスが作業領域などのために確保した**無名ページ**＊のデータをハードディスクやファイル上に確保される「スワップ領域」に書き出して空き物理ページを増やす処理です（**図16**）。この処理を「ページアウト」（あるいはスワップアウト）と呼びます。

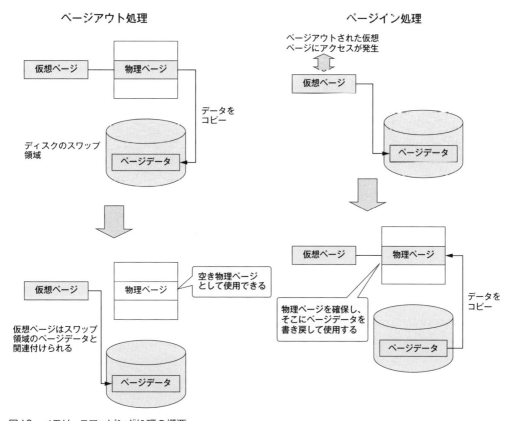

図16　メモリースワッピング処理の概要
メモリースワッピングにより、システム全体で物理メモリーの容量以上のメモリーを使用できるようになります。

　物理ページがページアウトされている仮想ページにアクセスがあった場合は、新たな物理ページが割り当てられ、そこにページアウトされたデータが書き戻されて使用されます。この処理を「ページイン」（あるいはスワップイン）と呼び、ページアウト／ページイン処理を総称して「メモリースワッピング」と呼びます。

　メモリースワッピングにより、システム全体で物理メモリーの容量以上のメモリーを使用できるようになります。しかしページアウト／ページイン処理には、通常のメモリーアクセスに比べて格段に時間がかかりますから、こうした処理が多発するようになるとシステムの処理性能は大幅に低下します。

【ページキャッシュ】ファイルの読み書きを高速化する目的などで主メモリーにデータをキャッシュする仕組み。
【無名ページ】ファイルと関連付けられていないページのこと。

## 最後はOOM Killerの出番

メモリー使用量が増え過ぎ、ページ回収処理によっても必要な空き物理ページが確保できない状態になると、カーネルそのものの動作に支障が出る恐れがあります。こうした場合、最悪の事態を避けるためにLinuxカーネルは「OOM Killer」（Out of Memory Killer）と呼ばれる処理を開始します。OOM Killerは、稼働中のプロセスのうちいくつかを強制的に停止させて、空き物理ページを確保します。

OOM Killerにより停止されやすいのは、使用中の物理ページやページアウトしているページが多いプロセスです。

なお、バージョン4.16以前のカーネルでは、管理者権限[10]を持つプロセスは、停止されにくくなっていました。しかし、権限チェックによって不具合が生じる場合があることが判明し、バージョン4.17以降のカーネルでは、管理者権限を持つプロセスも他のプロセスと平等に取り扱うようになっています。

---

[10] OOM Killerは、「CAP_SYS_ADMIN」というシステム管理用の権限の有無をチェックしていました。

## 1-6　デバイス管理の仕組み

　Linuxはほかのの UNIX系 OSと同様に、ほぼすべてのデバイスを「ファイル」として抽象化します。アプリケーションからデバイスにデータを入出力する場合は、この抽象化されたファイルに対してデータを入出力します（**図17**）。デバイス操作用のファイルは「デバイスファイル」と呼ばれ、一般に/devディレクトリー*以下に配置します。例えば、ハードディスクに対しては「/dev/sda」といったデバイスファイルが用意され、それを通じてアクセスできます。

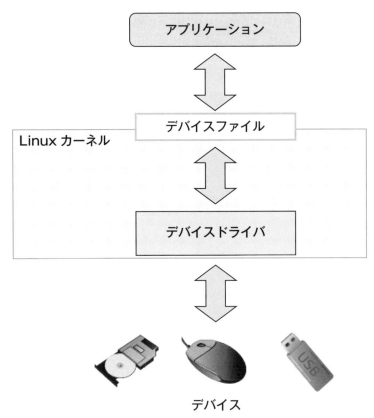

**図17　デバイスにはファイルを通じてアクセス**
Linuxはほかのの UNIX系 OSと同様に、ほぼすべてのデバイスを「ファイル」として抽象化します。アプリケーションからデバイスにデータを入出力する場合は、この抽象化されたファイルに対してデータを入出力します。デバイス操作用のファイルは「デバイスファイル」と呼ばれ、一般に/devディレクトリー以下に配置します。

【ディレクトリー】ファイルやディレクトリーを格納する仮想的な入れ物。「フォルダー」と呼ぶこともあります。

Linuxではデバイスを主に「キャラクター型」と「ブロック型」の二つに分類します。前者は、シリアル回線や端末のようにデータを1バイトずつ入出力するタイプのデバイスです。データは基本的にバッファー（一時保存）されません。後者は、ハードディスクのように固定長のデータ（ブロック）単位に入出力するタイプのデバイスです。データは基本的にバッファーされます。

　デバイスファイルには、キャラクター型であるかブロック型であるかを示す情報が設定されます。さらに対応するデバイスに応じた「メジャー番号」「マイナー番号」が設定されます。一般にメジャー番号はデバイス制御用の「デバイスドライバ」の指定に用いられ、マイナー番号はデバイスドライバの制御下にある個々の機器を指定するのに用いられます*11。

　Linuxカーネルはこれらの情報に基づいて、デバイスドライバとデバイスファイルをひも付けします。

---

*11　デバイスファイルに設定する情報については、カーネル付属の文書（Document/admin-guide/devices.txt）に詳しく記載されています。

## 1-7 ファイルシステムの概要

　ファイルシステムは、「ファイル」というインタフェースをユーザーやアプリケーションに提供する仕組みです。ファイルシステムがあることで、記憶装置にデータがどのように記録されているかを意識することなく、また、記憶装置の種類の違いを意識することなく、データをファイルという仮想的な容器に格納したり取り出したりできます（**図18**）。

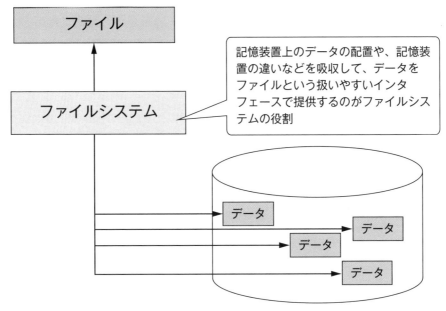

図18　ファイルシステムの役割
ファイルシステムがあることで、記憶装置にデータがどのように記録されているかや、記憶装置の種類の違いを意識することなく、データを格納したり取り出したりできます。

　これに加えてファイルシステムは、「ファイルの管理性の向上」「記録データのセキュリティの確保」のための機能も提供します。ファイルを分かりやすく管理する機能としては、ファイルの入れ物である「ディレクトリー」を階層的に作成する機能などが挙げられます。セキュリティ確保用の機能には、ファイルの所有者や各ユーザーに対する読み書きの許可/不許可といった属性情報をファイルごとに設定する機能などが挙げられます。記録データの信頼性を確保するために、データ検証用の情報（チェックサム）を記録できるファイルシステムもあります。

## 抽象化層VFSが存在

　ファイルシステムには、提供する機能や、ターゲットとする記憶装置が異なるさまざまな種類のものが存在します。Linuxカーネルは**表1**のような数多くのファイルシステムをサポートします。利用するファイルシステムの種類は、マウント時にmountコマンドのオプションで指定します。

表1　Linuxカーネルがサポートするファイルシステムの例

| ファイルシステム名 | マウント時に指定する文字列 | 概要・補足 |
|---|---|---|
| Btrfs | btrfs | RAID機能を包含するなど先進的な機能を持つ |
| CIFS | cifs | Windowsファイル共有で利用されるネットワークファイルシステム |
| ext2 | ext2 | 初期にLinuxで標準的に利用された |
| ext3 | ext3 | ext2にジャーナリング機能などを付加したもの |
| ext4 | ext4 | ext3に大容量ストレージ向け機能などを付加したもの |
| exFAT | exfat | SDXCカードや大容量USBメモリーなどで標準的に利用される |
| F2FS | f2fs | フラッシュストレージを高速利用するためのファイルシステム |
| FAT | fatまたはmsdos、vfat | SDカードやUSBメモリーなどで標準的に利用される |
| HFS+ | hfsplus | Mac OS 8以降で標準利用される |
| ISO9660 | iso9660 | CD-ROMで使われる |
| JFFS2 | jffs2 | 組み込み機器向けのフラッシュメモリー用ファイルシステム |
| NFS | nfsまたはnfs4 | UNIX系OSなどで利用されるネットワークファイルシステム |
| NILFS2 | nilfs2 | 高速なデータ書き込みや耐障害性の高さが特徴 |
| NTFS | ntfs | Windowsで標準利用される |
| procfs | procfs | プロセスやカーネルに関する情報を提供する仮想的なファイルシステム |
| sysfs | sysfs | デバイスやドライバに関する情報を提供する仮想的なファイルシステム |
| tmpfs | tmpfs | 主メモリー上に確保されるメモリーベースファイルシステム |
| UBIFS | ubifs | 組み込み機器向けのフラッシュメモリー用ファイルシステム |
| UDF | udf | 記録型CD/DVDで利用される |
| XFS | xfs | 大容量ストレージでの利用に向く |

　ファイルシステムが違ってもファイルの読み書きの方法は共通です。ファイルシステムの違いを吸収して、統一したインタフェースを提供するための抽象化層「VFS」（Virtual File System）が用意されているからです（図19）。

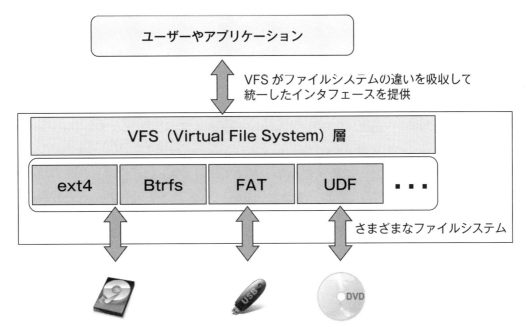

**図19　統一的なインタフェースを提供するVFS**
ファイルシステムの違いを吸収して、統一したインタフェースを提供するための抽象化層「VFS」（Virtual File System）が用意されているため、共通の方法でファイルを読み書きできます。

## 1-8 ネットワーク機能の概要

　Linuxなどの UNIX 系 OS ではデバイスの入出力インタフェースをファイルの形で提供します。しかしネットワークについては、**通信プロトコル**＊の指定や通信相手の指定など、接続に至るまでの手順が複雑かつ特殊で、ファイル操作用の既存の仕組みをそのまま利用できません。そこで開発されたのが、「ソケット」（socket）というインタフェースです。ソケットを利用することで、さまざまなプロトコルに対応した柔軟な通信が可能になります。Linux カーネルにもソケットインタフェースを提供するための抽象化層（BSD ソケット層）が存在します。

　Linux カーネルは、現在一般的に用いられる IP（Internet Protocol）というプロトコルと、その上位プロトコル（TCP や UDP）のほか、**IPX**＊や内部通信用の特殊プロトコルなど多種多様なプロトコルをサポートします。ソケットを利用する際は、どのようなプロトコルグループ（ドメイン）を使用するかを指定します。指定できるドメインには**表2**のようなものがあります。

表2　ソケット利用時に指定できるドメイン

| ドメイン名 | 対応するプロトコル／通信 |
| --- | --- |
| UNIX（LOCAL） | システムの内部通信 |
| INET | IPv4 |
| INET6 | IPv6 |
| IPX | IPX |
| NETLINK | カーネル空間とユーザー空間の通信 |
| X25 | X.25 |
| AX25 | アマチュア無線を利用したパケット通信 |
| ATMPVC | ATM（PVC方式） |
| APPLETALK | AppleTalk |
| PACKET | 低レベルのパケット通信 |

　Linuxカーネルには「Notfilter」という通信データ（パケット）処理用の機構が存在します。これを利用すると、特定のパケットの送受信を制限したり、加工するといった処理が可能になります。Linuxカーネルのファイアウォール機能やNAPT＊機能などは、このNetfilter機構を利用して実現されています。

　Linuxカーネルのネットワーク機能は非常に豊富かつ複雑です。そのため、本書ではここで触れたこと以上の解説はしません。

## 1-9　カーネルの読み込みから稼働まで

　通常のPC（PC/AT互換機）で電源投入直後に稼働するのは「BIOS」（Basic Input/Output System）や、「UEFI」（Unified Extensible Firmware Interface）というファームウエアです。これらのファームウエアは、PCのハードウエアの初期設定や自己診断テストなどを実施したあと、ディスクの特定領域に記録されているOS起動用プログラム「ブートローダー」を起動します。Linux起動用のブートローダーとしては「GNU GRUB」というプログラムがよく使われています。

　このブートローダーがカーネルのイメージファイルをメモリーに読み込んで実行します。カーネルのイメージファイルは、多くのLinuxディストリビューションで、/bootディレクトリー（あるいは/ディレクトリー）にある「vmlinuz」や「vmlinux」から始まる名前のファイルに格納されています。

　また、このときブートローダーに、システム初期化用のディスクイメージを読み込ませることも可能です。このディスクイメージについては後述します。

　カーネルのイメージファイルは「bzImage」という自己伸長圧縮形式になっています（**図20**）。イメージの先頭には、初期化とイメージ伸長のためのコードが付加されています。圧縮形式はカーネルの**ビルド**\*時に指定でき、「GZIP」や「BZIP2」「LZMA」「XZ」「LZO」「LZ4」「ZSTD」のいずれかを選択できます\*12。標準圧縮形式はGZIPです。伸長したカーネルに制御を渡せば、本格的なシステム初期化と起動処理が始まります。

| 初期化用コード | 伸長用コード | 圧縮カーネルイメージ |
|---|---|---|

**図20　カーネルイメージファイルの構成**
現在一般に使われる「bzImage」というイメージ形式の構成です。ファイル先頭に初期化用と伸長用のコードがあり、それに続いて圧縮カーネルイメージが記録されています。

　**root**ファイルシステム\*をマウントして、/sbin/initというプログラムを起動すればカーネルによるシステム起動処理は終了です。OSの初期化処理は、以降は/sbin/initプロセスが引き継ぎます。このプロセスはユーザー空間で稼働するすべてのプロセスの親として働きます。

### 初期化用ディスクイメージ

　多くのディストリビューションでは、起動時にシステム初期化用のディスクイメージを読み込みます。このディスクイメージには、rootファイルシステムのサブセットが含まれており、システム初期化の際、カーネルによって一時的なrootファイルシステムとして使われます（図21）。初期化用ディスクイメージは、真のrootファイルシステムの読み出しに必要なデバイスドライバがカーネルイメージに組み込まれておらず、モジュールファイル[13]として切り離されている場合に必要になります。

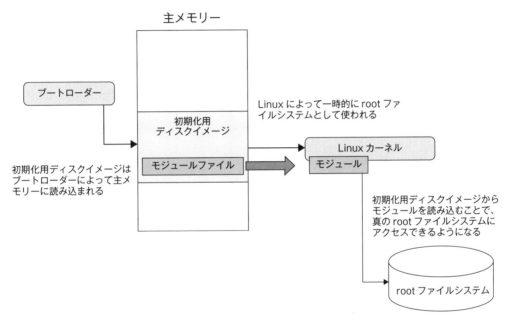

図21　初期化用ディスクイメージの使われ方
ブートローダーによって主メモリーに読み込まれる初期化用ディスクイメージには、rootファイルシステムのサブセットが含まれています。このディスクイメージは、システム初期化の際に一時的なrootファイルシステムとして使われます。真のrootファイルシステムの読み出しに必要なモジュールファイルなどが含まれています。

　例えば、rootファイルシステムがシリアルATA接続のハードディスクにある場

---

【ビルド】Linuxカーネルはソースコードの形で配布されています。これを実行可能なバイナリーコードの形に変換する作業を「ビルド」と呼びます。本書ではLinuxカーネルの設定を変えてビルドし直して動作を確認することにより、カーネルの仕組みを解き明かしていきます。ビルドの詳しい手順については第3章で解説します。
*12　本書が対象にするバージョン6.6系列のカーネルの場合です。
【rootファイルシステム】OSのシステムファイルが格納されていて、/ディレクトリーにマウントして使用されるファイルシステム領域のこと。
*13　モジュールファイルについては第2章で詳しく解説します。

合、PCが装備するシリアルATAコントローラ用のデバイスドライバがカーネルイメージに組み込まれていなければ、rootファイルシステムをマウントできず、システムを起動できません。これに対し、必要なデバイスドライバのモジュールファイルを含む初期化用ディスクイメージを作成し、それを読み込んでおけば、カーネルが一時的にそれをrootファイルシステムとしてマウントします。これにより、モジュールファイルを読み出して、本来のrootファイルシステムをマウントできるようになります。

　初期化用ディスクイメージ形式には「initrd」と「initramfs」の2種類があります。前者はext2やext3などの汎用ファイルシステムと固定長のRAMディスク*を利用する形式で、後者はtmpfsというメモリーベースファイルシステム*を利用する形式です。柔軟性の高さやメモリー利用効率の高さから、最近のディストリビューションではinitramfsの方を主に利用します。

---

【RAMディスク】主メモリー上に作成され、通常のディスクと同様に使用できるブロックデバイスのこと。
【メモリーベースファイルシステム】主メモリー上に作成される特殊なファイルシステムのこと。

# 第2章

# Linuxカーネルの
# モジュール管理

　本章では、「ローダブルカーネルモジュール」と呼ばれる機能の概要と、この機能で使われるモジュールの管理方法について解説します。モジュールは通常、必要に応じて自動的にカーネルに組み込まれますが、自動組み込み処理がうまく働かないケースもあります。また、使用状況に合わせてパラメーターを変更する必要があることもあります。モジュールの仕組みや管理方法を知っておけば、そうした場合にスムーズな対処が可能です。

## 2-1 モジュールとは何か

　Linuxカーネルは「ローダブルカーネルモジュール」という仕組みに対応しています。これは、カーネル内の機能パーツを「モジュールファイル」という形で分離・格納しておき、必要に応じてそのモジュールファイルから読み出した機能パーツのコード（これを以下では「モジュール」と呼びます）を稼働中のカーネルに組み込んだり、切り離したりできるようにする仕組みです（**図1**）。

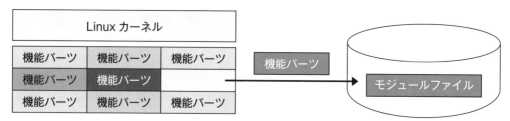

カーネルを構成する機能パーツを外部ファイルの形で
分離したものが「モジュール」

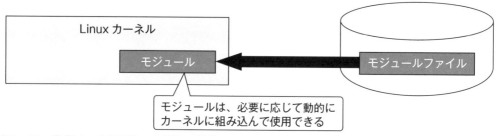

モジュールは、必要に応じて動的に
カーネルに組み込んで使用できる

図1　ローダブルカーネルモジュール機能の概要
カーネル内の機能パーツを「モジュールファイル」の形で分離・格納しておき、必要に応じてそのモジュールを稼働中のカーネルに組み込んだり、切り離したりできるようにする仕組みです。

　Linuxカーネルは、カーネル空間と呼ばれる特別なメモリー空間に配置されて稼働する巨大なプログラムです。カーネルの実行コードは一般的に、/bootディレクトリーなどに配置される「vmlinuz-カーネルのリリース番号」といったファイル名を持つ圧縮カーネルイメージファイルに格納されます。システム起動時には、この圧縮カーネルイメージファイルからカーネルのプログラムコード全体（これを「カーネルイメージ」と呼びます）がメモリー上に展開され、実行される仕組みになっています。

しかし、カーネルのすべての実行コードを圧縮カーネルイメージファイルに格納しておく方式には、主に二つの問題があります（**図2**）。

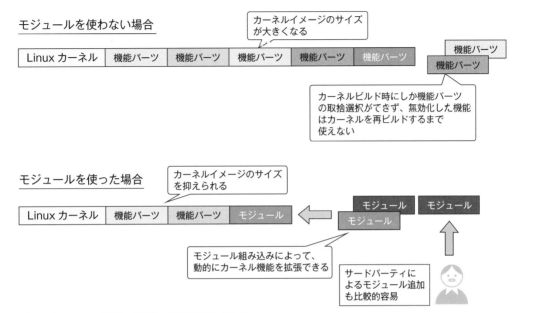

モジュールを使わない場合

カーネルイメージのサイズが大きくなる

| Linux カーネル | 機能パーツ | 機能パーツ | 機能パーツ | 機能パーツ | 機能パーツ |

機能パーツ
機能パーツ

カーネルビルド時にしか機能パーツの取捨選択ができず、無効化した機能はカーネルを再ビルドするまで使えない

モジュールを使った場合

カーネルイメージのサイズを抑えられる

| Linux カーネル | 機能パーツ | 機能パーツ | モジュール |

モジュール　モジュール
モジュール

モジュール組み込みによって、動的にカーネル機能を拡張できる

サードパーティによるモジュール追加も比較的容易

図2　モジュールの利用により効率性や拡張性が向上
機能パーツをモジュールファイルの形で分離しておけば、カーネルイメージの肥大化を避けられます。また、必要な機能をモジュールによって柔軟に追加できる利点もあります。機器メーカーなどが独自のデバイスドライバモジュールを提供することなども簡単になります。

　一つは、サイズが肥大化しやすいということです。Linuxカーネルは年々高機能化し、対応デバイスも増加しています。それにつれて実行コードの量も増えており、それらを格納する圧縮カーネルイメージファイルのサイズも増加の一途をたどっています。モジュールを使わずにすべての機能を有効にした場合、本書がターゲットとするバージョン6.6系のカーネル（64ビットのx86 CPU向け）では、圧縮カーネルイメージファイルのサイズは約213Mバイト、主メモリーに配置される圧縮されていないカーネルイメージは約704Mバイトにも達しています。これは、搭載メモリー量の少ない組み込み機器などでは大きな負担となります。

　もう一つは、使用する機能の取捨選択がカーネルビルド時にしかできないという柔軟性の欠如です。Linuxカーネルのプログラムコードは、機能パーツごとにブロック化されており、それぞれの機能パーツの使用/不使用をビルド時に設定できます。使用頻度の低い機能パーツを無効化しておけば、カーネルイメージのサイズを小さ

くできます。しかし無効化した機能パーツは、当然ながら、カーネルを再ビルドするまでは使えなくなります。ある機器を使用するためのデバイスドライバを無効化したカーネルを使っている場合には、その機器をPCに装着しても、すぐには使用できないわけです。

　こうした問題を解消するためにLinuxカーネルには、1995年にリリースされたバージョン1.2から、このローダブルカーネルモジュール機構が追加されました。機能パーツをモジュールファイルの形で分離しておけば、カーネルイメージの肥大化を避けられますし、使わない機能パーツのプログラムコードによって余分なメモリーを消費することもなくなります。また、カーネルのソースコードにはない新しいモジュールを作成して組み込めば、再ビルドをしなくてもカーネルに新機能を追加できます。これにより、機器メーカーが独自のデバイスドライバモジュールを提供することなどが容易になります。

　現在のLinuxカーネルでは、メモリー管理機構やプロセス管理機構のようなカーネルのコア部分の機能パーツを除いて、さまざまな機能パーツをモジュールファイルとして分離できます。特に周辺機器の動作などに必要なデバイスドライバについては、基本的にそのすべてをモジュール化できます。ほとんどのディストリビューションが、カーネルの機能パーツの大部分をモジュール化して提供しています。これにより、カーネルイメージのサイズを抑えつつ、機器の追加などに柔軟に対応できます。例えば、Ubuntu 24.04 LTSで使われるバージョン6.6系列のカーネルの圧縮カーネルイメージファイルのサイズは15Mバイト程度です。

## モジュール管理の必要性

　前述の通り、多くのLinuxディストリビューションでは、カーネルのファイルシステム機能やネットワーク機能、周辺機器を制御するデバイスドライバなど、さまざまな機能パーツをモジュールファイルの形で提供しています。

　そのため、これらのモジュールをいかに使いこなすかが、Linuxシステムの管理において重要になります。

　もっとも、通常はユーザーがモジュールの存在や管理を意識することはあまりありません。カーネル自身にモジュールを自動的に組み込む機能がありますし、最近のディストリビューションには「udev」（userspace device management）というデバイス管理機構があり、機器接続時などに、対応する（デバイスドライバ）モジュー

ルを自動的に組み込めるようになっているからです。

　しかし、自動組み込みが働かないケースや、自動で組み込まれるモジュールとは異なるモジュールを使いたい場合もあります。また、モジュールの動作設定を変更しなければならないこともあります。こうした場合には、管理者による操作や設定が必要です。

　例えば、米NVIDIA社や米Advanced Micro Devices（AMD）社などのGPUメーカーが配布するビデオドライバをインストールする際、手順を誤ると、カーネルに付属するOSSビデオドライバが自動組み込みされる設定のままになってしまいます。この場合、GPUメーカーのビデオドライバは利用できません。利用するには、OSSビデオドライバの自動組み込みを無効化する対策などが必要です。

　モジュールの管理方法や設定方法について熟知していれば、こうした問題への対処を適切に実施できるようになります。

## 2-2　モジュールファイルの格納先

　ここからは、モジュールファイルを自分で管理するための知識を学んでいきましょう。まず知っておきたいのは、モジュールファイルはどこに置いてあるのか、です。

　モジュールファイルは前述の通り、カーネル内の機能パーツを実行ファイル形式で切り出したものです。これをモジュールとしてカーネル空間に組み込むと、元通りカーネルの一部として動作します。

　そのためモジュールファイルは、カーネルとの結び付きが強い存在です。具体的には、カーネルのバージョンやターゲットアーキテクチャーに合わせたものでなければなりません。例えば、バージョン6.6.32のカーネル用モジュールファイルは、ほかのバージョンのカーネルには（基本的に）使用できませんし、同じバージョンであっても設定を変更したカーネルでは使用できないことがあります。

　そのためモジュールファイルは、カーネルのバージョンやビルド時に追加したバージョン（エクストラバージョン）を示す「リリース番号」ごとに用意されたディレクトリーに整理して配置されます。具体的には、「/lib/modules/カーネルのリリース番号」ディレクトリー以下に格納されます（以下では同ディレクトリーのことを「モジュールディレクトリー」と呼びます）。

　現在稼働中のカーネルのリリース番号は、次のコマンドを実行することで分かります。

```
$ uname -r ⏎
```

　シェルでのモジュールディレクトリー指定の際には、コマンドの実行結果をコマンド行に挿入する、シェルの「コマンド置換」機能を使った次のような指定も可能です。

```
$ cd /lib/modules/$(uname -r) ⏎
```

　この場合、「$(uname -r)」の部分がコマンドの実行結果に置き換えられます。

　モジュールファイルのファイル名の接尾辞（拡張子）は「.ko」です。圧縮されて

いる場合は、カーネル6.6では「ko.gz」「.ko.xz」「.ko.zst」のいずれかの接尾辞になります。現在稼働中のカーネル用のモジュールファイルの一覧は、次のコマンドを実行すれば表示できます。

```
$ find /lib/modules/$(uname -r) -name "*.ko*" ⏎
```

実行結果は**図3**のようなものになります。

```
$ find /lib/modules/$(uname -r) -name "*.ko*" ⏎
/lib/modules/6.8.0-31-generic/kernel/drivers/pps/clients/pps_parport.ko.zst
/lib/modules/6.8.0-31-generic/kernel/drivers/pps/clients/pps-gpio.ko.zst
/lib/modules/6.8.0-31-generic/kernel/drivers/pps/clients/pps-ldisc.ko.zst
(略)
/lib/modules/6.8.0-31-generic/kernel/sound/core/snd-pcm.ko.zst
/lib/modules/6.8.0-31-generic/kernel/sound/core/snd-hwdep.ko.zst
/lib/modules/6.8.0-31-generic/kernel/sound/core/snd-pcm-dmaengine.ko.zst
```

**図3　現在稼働中のカーネル用のモジュールファイルの一覧表示**
現在稼働中のカーネルで利用できるモジュールファイルの一覧は、モジュールディレクトリー以下にある「.ko」という接尾辞（拡張子）を含むファイルを検索すると表示できます。

## 2-3 コマンドでモジュールを管理する

　では、実際にモジュールの管理操作を試してみましょう。モジュールの管理には、表1のようなコマンドを使用します。これらのコマンドは「kmod」というパッケージをインストールすると利用できます*1。ですが、Ubuntu 24.04 LTSやAlma Linux OS 9などのほとんどのディストリビューションではインストールは不要で、これらのコマンドは通常、標準で利用可能です。

表1　モジュール管理に使う主なコマンド

| コマンド名 | 機能 | 実行に管理者権限が必要か | 実行例 |
|---|---|---|---|
| depmod | モジュールの依存関係の調査と依存関係データベースファイルの更新 | 必要 | $ sudo depmod -a ⏎ |
| insmod | モジュールの組み込み | 必要 | $ sudo insmod /lib/modules/$(uname -r)/kernel/drivers/char/lp.ko.zst ⏎ |
| lsmod | 組み込まれているモジュールの情報の一覧表示 | 不要 | $ lsmod ⏎ |
| modinfo | モジュール情報の表示 | 不要 | $ modinfo lp ⏎ |
| modprobe | 依存関係を考慮したモジュールの組み込み | 必要 | $ sudo modprobe lp ⏎ |
| | 依存関係を考慮したモジュールの取り外し | 必要 | $ sudo modprobe -r lp ⏎ |
| rmmod | モジュールの取り外し | 必要 | $ sudo rmmod lp ⏎ |

　これらの管理コマンドの多くは、引数に操作対象のモジュールを指定して実行します。モジュールを指定する場合には、insmodコマンドを除いて、モジュールファイル名ではなくモジュール名を使います。つまり「loop.ko.zst」のようなモジュールファイル名ではなく、「loop」のようなモジュール名を使います。また、パス指定（ファイル位置の指定）もinsmodコマンド以外では不要です*2。

　モジュール名は一般には、ファイル名から末尾の「.ko」や「.ko.zst」などの接尾辞を除いた文字列となりますが、「snd-usb-audio.ko.zst」のようにファイル名にハイフンを含むモジュールの場合は、さらにハイフンをアンダースコアに置き換えたも

の（例えば、snd_usb_audio）が正式なモジュール名となります。ただし、コマンドでのモジュール指定の場合は、ハイフンのままでも問題ないように考慮されています。

## モジュール情報を表示する

　特定のモジュールについての詳細情報を調べたい場合には、モジュールのあるディレクトリー上でmodinfoコマンドを次の形式で実行します。同コマンドは、一般ユーザー権限で実行できます。

```
$ modinfo モジュール名 ↵
```

　台湾Realtek Semiconductor社製のギガビットイーサネットコントローラー「RTL8169」など向けのデバイスドライバモジュール「r8169」の情報をmodinfoコマンドで調べた例を図4に挙げました。

```
$ modinfo r8169 ↵
filename:       /lib/modules/6.6.32/kernel/drivers/net/ethernet/realtek/r8169.ko
firmware:       rtl_nic/rtl8125b-2.fw
（略）
firmware:       rtl_nic/rtl8168d-1.fw
license:        GPL
softdep:        pre: realtek
description:    RealTek RTL-8169 Gigabit Ethernet driver
author:         Realtek and the Linux r8169 crew <netdev@vger.kernel.org>
srcversion:     8D955C0ADC4E3FE5FF35C5D
alias:          pci:v000010ECd00003000sv*sd*bc*sc*i*
alias:          pci:v000010ECd00008125sv*sd*bc*sc*i*
（略）
alias:          pci:v000010ECd00002600sv*sd*bc*sc*i*
```

＊1　古いディストリビューションでは「module-init-tools」というパッケージを使います。
＊2　モジュールディレクトリー外にあるモジュールファイルを対象にする場合は、他のコマンドでもファイル名やパスの指定が必要です。

```
alias:          pci:v000010ECd00002502sv*sd*bc*sc*i*
depends:
retpoline:      Y
intree:         Y
name:           r8169
vermagic:       6.6.32 SMP preempt mod_unload modversions
sig_id:         PKCS#7
signer:         Build time autogenerated kernel key
sig_key:        28:76:AD:92:E9:CE:4F:50:32:F3:D4:3E:98:97:7B:B4:F1:F8:92
sig_hashalgo:   sha512
signature:      6C:98:97:DD:2E:77:A2:E4:11:C7:6B:A7:7A:9C:C5:71:9A:A5:7A:56:
                B4:09:48:F4:E0:A2:D2:FF:4B:5A:5E:83:BD:CA:2A:8D:5C:84:9D:E6:
(略)
                53:7E:48:5C:98:7D:E0:80:37:ED:46:81:D2:56:19:2E:52:AD:30:9C:
                A9:99:65:83:B3:E5:5C:CC:91:59:D3:ED
```

**図4　モジュールの詳細情報の表示例**
デバイスドライバモジュール「r8169」の詳細情報を表示した例です。

modinfoコマンドの出力にある各フィールドに表示される情報の意味は**表2**の通りです。

表2　modinfoコマンドの出力にある主なフィールド

| フィールド名 | 表示される情報 |
|---|---|
| alias | モジュールに付けられた別名 |
| author | モジュールの作者 |
| depends | 依存関係にあるモジュールの名前 |
| description | モジュールの説明 |
| filename | モジュールファイル名 |
| firmware | モジュールで使用するファームウエア |
| intree | カーネルのソースツリー内のモジュールかどうか |
| license | モジュールのライセンス |
| name | モジュール名 |
| parm | モジュールに指定可能なオプション |
| retpoline | セキュリティ対策の一種である「Retpoline」が適用済みであるかどうか |
| sig_hashalgo | 署名のハッシュアルゴリズム |
| sig_id | モジュールの署名形式 |
| sig_key | 署名検証用の鍵 |
| signature | モジュールの改ざんの有無を検証するための署名 |
| signer | 署名者 |
| softdep | 依存関係にあるモジュールの名前と、その組み込み順序 |
| srcversion | モジュールのビルドに使ったソースコード群のチェックサム |
| supported | ディストリビューターなどにより標準サポートされるモジュールかどうか |
| vermagic | カーネルとの整合性チェックに使うバージョン情報 |
| version | モジュールのバージョン情報 |

## ロード済みモジュールの表示

　現在組み込み済みのモジュール一覧を表示するには、lsmodコマンドを実行します。同コマンドは、一般ユーザー権限で実行できます。

　実行結果は**図5**のようになります。モジュールごとに「モジュール名」「サイズ（モジュールが使用するメモリー量）」「参照カウント数」「使用モジュール名」の4種類の情報が表示されます。参照カウント数は、当該モジュールがほかのモジュールな

どから現在参照されている数を示し、使用モジュール名は、その参照元モジュール
の一覧を示します。

```
$ lsmod ⏎
Module              Size  Used by
nls_iso8859_1      16384  1
snd_intel8x0       45056  4
snd_ac97_codec    131072  1 snd_intel8x0
intel_rapl_msr     20480  0
intel_rapl_common  24576  1 intel_rapl_msr
ac97_bus           16384  1 snd_ac97_codec
snd_pcm           106496  3 snd_intel8x0,snd_ac97_codec
snd_seq_midi       20480  0
intel_powerclamp   20480  0
snd_seq_midi_event 16384  1 snd_seq_midi
snd_rawmidi        36864  1 snd_seq_midi
snd_seq            69632  2 snd_seq_midi,snd_seq_midi_event
(略)
psmouse           155648  0
libahci            32768  1 ahci
e1000             147456  0
pata_acpi          16384  0
video              49152  0
```

図5　組み込み済みのモジュールを一覧表示した例

　lsmodコマンドの出力に使用モジュール名があることから分かる通り、モジュー
ルには依存関係があります。例えば、フラッシュメモリー用のファイルシステムモ
ジュール「ubifs」は、フラッシュメモリー用のデバイスドライバモジュールの「ubi」
を使用しています。そしてubiモジュールはさらに、フラッシュメモリー用のデバ
イスドライバモジュールの「mtd」を使用しています。
　つまり、ubifsモジュールはubiモジュールやmtdモジュールと依存関係にあり、
ubifsモジュールの機能を使う場合には、ubiモジュールやmtdモジュールも組み込

んでおく必要があります。

## モジュールの組み込み／取り外し

　モジュール管理の基本を確認したところで、モジュールの組み込みと取り外しをしてみましょう。組み込みのための基本コマンドはinsmod、取り外しのための基本コマンドはrmmodです。ただし、これらのコマンドは、モジュール間の依存関係を考慮した処理はしてくれません。そのため、後述するmodprobeコマンドを利用する方が便利です。

　モジュールの組み込みや取り外しは、システム機能やセキュリティに影響を及ぼす重要な作業ですから、これらのコマンドの実行には管理者権限が必要です。

　insmodコマンドには、ほかのモジュール管理コマンドとは違って、モジュール名ではなくモジュールファイル名を指定します。パス指定も必要です。例えば、ラインプリンター用の「lp」モジュールを組み込む場合には、次のようにコマンドを実行します*3。

```
$ sudo insmod /lib/modules/$(uname -r)/kernel/drivers/char/lp.ko.zst ⏎
```

　前述の通り、insmodコマンドは依存関係を考慮した処理は行いません。依存関係にあるモジュールを組み込んでいない状態でモジュールを組み込もうとしても「Unknown symbol in module」エラーとなってモジュールを組み込めないので注意してください。例えば、ubiモジュールを組み込んでいない状態でubifsモジュールを組み込もうとしてもエラーになってしまいます。insmodコマンドを使ってこうしたモジュールを組み込む場合は、依存関係にあるモジュールを先に組み込む必要があります。

　rmmodコマンドには、取り外したいモジュールのモジュール名を指定します。例えば、lpモジュールを取り外す場合は、次のコマンドを管理者権限で実行します。

```
$ sudo rmmod lp ⏎
```

---

＊3　lpモジュールが組み込み済みの場合は、実行しても「File exists」というエラーが表示されます。

rmmodコマンドも依存関係を考慮した処理はしません。そのため、実行順序によっては「Module モジュール名1 is in use by モジュール名2」というエラーが表示され、モジュールを取り外せないことがあります。例えば、ubifsモジュールを組み込んでいる状態でubiモジュールやmtdモジュールを取り外そうとしてもエラーになってしまいます。rmmodコマンドを使ってこうしたモジュールを取り外すには、そのモジュールを使用しているモジュールを先に取り外す必要があります。

## 依存関係を考慮するmodprobe

モジュールの依存関係を考慮しないinsmodコマンドやrmmodコマンドは使い勝手が良くありません。そのため、モジュールの組み込み／取り外しには、一般にmodprobeコマンドが使われます。modprobeコマンドの基本動作は、指定したモジュールの組み込みですが、オプション指定によってほかの動作をさせることが可能です。modprobeコマンドの主なオプションとその機能は**表3**の通りです。

表3　modprobeコマンドの主なオプションとその機能

| オプション | 機能 | 実行例 |
|---|---|---|
| 指定なし | 指定したモジュールを組み込む | $ sudo modprobe lp ⏎ |
| -a | 列挙した複数のモジュールを組み込む | $ sudo modprobe -a lp e1000 ⏎ |
| -c | 全モジュールの設定を表示 | $ modprobe -c ⏎ |
| -D | 指定したモジュールの依存関係を表示 | $ modprobe -D lp ⏎ |
| -n | 操作を実行せず、表示だけ行う | $ sudo modprobe -n lp ⏎ |
| -r | 指定したモジュールを取り外す | $ sudo modprobe -r lp ⏎ |

modprobeコマンドの便利な点は、モジュール間の依存関係を考慮した処理をしてくれる点です。依存関係はモジュールディレクトリーにある「modules.dep.bin」ファイルの内容を調べることで解決します。このファイルには、モジュール同士の依存関係を記述した索引データが、高速にアクセスできる形式で格納されています。

前述のubifsモジュールを例に挙げると、「sudo modprobe ubifs」というコマンドを実行しただけで、依存関係にあるubiモジュールやmtdモジュールも一緒に組み込んでくれます。また「sudo modprobe -r ubifs」というコマンドを実行すると、ubifsモジュールだけでなくubiモジュールやmtdモジュールも一緒に取り外してくれます。ただし、ubiモジュールやmtdモジュールがほかのモジュールによって使

用されている場合はそのままにします。

　modprobeコマンドの処理の順序を確かめたければ、「-v」オプションを指定して実行します。実行例は**図6**の通りです。依存関係があるモジュールから先に組み込まれることが分かります。取り外しの場合は、逆に依存関係があるモジュールの方が後に取り外されます。

```
$ sudo modprobe  v ubifs ⏎
insmod /lib/modules/6.6.32/kernel/drivers/mtd/mtd.ko.zst
insmod /lib/modules/6.6.32/kernel/drivers/mtd/ubi/ubi.ko.zst
insmod /lib/modules/6.6.32/kernel/fs/ubifs/ubifs.ko.zst
```

図6　モジュールの組み込み順序を表示した例

### 依存関係の調査にはdepmod

　モジュール同士の依存関係を調べ、その結果をmodules.dep.binファイルに格納する働きをするのがdepmodコマンドです。depmodコマンドは、カーネルをアップデート（あるいはインストール）した際などに自動実行されますが、ユーザーが個別にモジュールをモジュールディレクトリーに追加した場合には、ユーザーがその都度実行する必要があります。

　すべてのモジュールの依存関係を調べて、その情報をmodules.dep.binファイルに保存するには、次のコマンドを実行します。

```
$ sudo depmod -a ⏎
```

　モジュール同士の依存関係は、モジュール内部で使用するシンボルを基に調査します。ここで言うシンボルとは、関数名や変数名、ジャンプ先ラベルなどの情報です。あるモジュールＡで、ほかのモジュールＢで定義されるシンボル情報を参照していれば、モジュールＡはモジュールＢに依存していると判断できます。

## 2-4 モジュールへのオプション指定

insmodコマンドやmodprobeコマンドによるモジュール組み込み時には、オプションを指定してモジュールのパラメーターを変更できます。指定可能なオプションはモジュールによって異なります。modinfoコマンドでモジュールの詳細情報を出力すると、parmフィールドに「オプション名：指定可能なデータ型」の形で指定可能なオプションの説明があります。オプションについての簡単な解説が付加されることもあります。

例えば、ソフトウエアWatchdogタイマー*機能を提供する「softdog」モジュールの場合は、「soft_margin」というオプションでカウンターの初期値を秒単位で設定できます。

```
$ sudo modprobe softdog soft_margin=300 ⏎
```

このようにコマンドを実行してsoftdogモジュールを組み込むと、300秒以内に/dev/watchdogファイルに書き込みをしてカウンタをリセットし続けなければコンピュータが再起動します。

モジュールに指定できるオプションの詳細については、カーネルのソースコード付属の文書群で説明されているケースもあります。例えば、Watchdogタイマー関連モジュールのオプションについては、「Documentation/watchdog/watchdog-parameters.rst」という文書で解説されています。解説文書がなく、ソースコードを調べなければ分からないモジュールもあります。

また、/etc/modprobe.dディレクトリーに図7のような内容を持つファイルを、末尾に「.conf」という接尾辞（拡張子）を持つファイル名で作成しておけば、モジュールの組み込み時にそのオプションが自動適用されるようになります。この設定ファイルでは、表4のようなコマンドを使用できます。

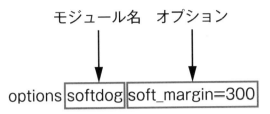

モジュール名　オプション

options softdog soft_margin=300

図7　モジュールの設定ファイルの記述例

このような内容を持つファイルを、末尾に「.conf」という接尾辞（拡張子）を持つファイル名で/etc/modprobe.dディレクトリー内に作成しておけば、モジュールの組み込み時にそのオプションが自動適用されるようになります。

表4　モジュールの設定ファイルに記述できるコマンドの例

| コマンド | 機能 | 書式 |
|---|---|---|
| alias | モジュールの別名を設定 | alias 別名 モジュール名 |
| blacklist | 指定したモジュールの別名をすべて無視する | blacklist モジュール名 |
| include | 他の設定ファイルを組み込む | include ファイル名 |
| install | 特定モジュールの組み込みが指示された際、モジュールを組み込む代わりに、ここで指定したコマンドを実行する | install モジュール名 コマンド |
| options | モジュールに適用するオプションを指定 | options モジュール名 オプション |
| remove | モジュールの取り外しが指示された際、モジュールを取り外す代わりに、ここで指定したコマンドを実行する | remove モジュール名 コマンド |

　例えば、表4にあるblacklistコマンドを使えば、任意のモジュールの組み込みをブロックできます。米NVIDIA社が提供するビデオドライバモジュール「nvidia」を使用したい、といった場合に、競合するOSSビデオドライバモジュール「nouveau」を組み込まないようにするには、設定ファイルにblacklistコマンドを「blacklist nouveau」の形で記述します。

### モジュール操作に失敗する原因

　modprobeコマンドをいろいろ実行してみると、モジュールの依存関係以外の原因でも、モジュールの組み込みや取り外しに失敗することがあります。エラーメッセージとその原因には、主に表5のようなものがあります。

【ソフトウエアWatchdogタイマー】 システムがハングアップした際にコンピュータを自動的に再起動する「Watchdogタイマー」の機能をソフトウエアで実装したものです。

表5　モジュール操作時に出るエラーメッセージの例とその主な原因

| エラーメッセージ | 主な原因 |
| --- | --- |
| Invalid module format | 稼働中のカーネルとモジュールのバージョンの不一致 |
| Function not implemented | カーネルのモジュール機能やモジュール取り外し機能が有効になっていない |
| Operation not permitted | 管理者権限でコマンドを実行していない、または、modules_disabledファイルでモジュール操作が禁止されている |
| Module モジュール名 not found | 指定したモジュール名の誤り |
| Unknown symbol in module, or unknown parameter (see dmesg) | 依存関係データベースの未更新 |

　比較的分かりやすいのが、カーネル設定に起因する制限です。モジュール機能そのものを無効にしたカーネル（「CONFIG_MODULES=y」設定でビルドしていないカーネル）では、当然、モジュールの組み込みはできませんし、モジュールの取り外し機能を無効にしたカーネル（「CONFIG_MODULE_UNLOAD=y」設定でビルドしていないカーネル）では、モジュールの取り外しはできません。

　また、セキュリティ確保のためにモジュール操作をシステム起動後に禁止している場合もあります。モジュール操作は、/proc/sys/kernel/modules_disabledファイルの内容を既定の「0」（モジュール操作可能）から、「1」（モジュール操作禁止）に変更することで制限されます。具体的には次のコマンドを管理者権限で実行します。

```
$ sudo sh -c 'echo 1 > /proc/sys/kernel/modules_disabled' ⏎
```

　一度モジュール操作を禁止すると、システム再起動以外では（管理者であっても）その制限を解除できなくなります。

## 2-5 別名を利用した自動組み込み

　モジュールは、必要に応じてカーネル自身やudevd＊などのプログラムによって自動的に組み込まれます（**図8**）。例えば、音楽プレーヤーアプリケーションが「/dev/snd」ディレクトリーにあるデバイスファイルにアクセスした場合、そのデバイスファイルに対応付けられているデバイスドライバモジュールが組み込み済みでなければ、カーネルがそれを自動的に組み込みます。また、USBメモリーをPCに装着した場合には、そのイベント情報がカーネルからudevdに通知され、それに基づいてudevdがUSBメモリーを読み込むためのデバイスドライバモジュールを自動的に組み込みます。

　いずれの場合も、最終的にはカーネル外部のコマンド（modprobeコマンドかsystemd-udevd内蔵のkmodコマンド）を実行してモジュールを組み込む仕組みになっています。

---

　［udevd］「udev」（userspace device management）というデバイス管理を担うデーモン（バックグラウンドプロセス）。2024年時点では「systemd」と呼ばれるシステムユーティリティーに含まれるソフトウエア（systemd-udevd）が使われることが多いようです。

## カーネル自身がモジュールを組み込む場合

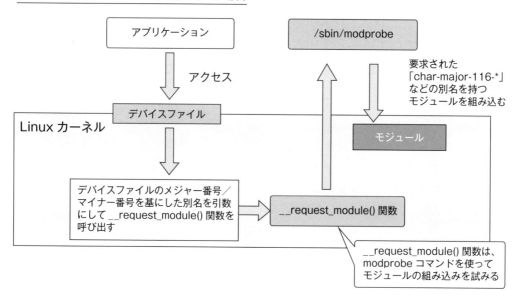

## udevd がモジュールを組み込む場合

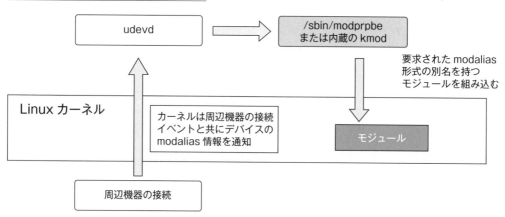

**図8　モジュールを自動的に組み込む仕組み**
モジュールは、必要に応じてカーネル自身やudevdなどのプログラムによって自動的に組み込まれます。その際に重要になる情報が、モジュールに付加されるalias（別名）です。

　モジュールの自動組み込みの際に重要になる情報が、モジュールに付加されるalias（別名）です。モジュールに付加されている別名は、modinfoコマンドの出力にあるaliasフィールドを見ると分かります。aliasによるモジュールの自動組み込みについて知ることは、トラブル発生時の原因追跡の際などにも役立つので仕組みを理解しておきましょう。

自動処理用の別名には、主に二つのタイプがあります。一つは、カーネルがモジュールを組み込むのに使う識別情報を別名に設定するタイプです。カーネルは__request_module()関数[*4]でモジュールを組み込みますが、処理を汎用化するためにモジュール名を直接指定するのではなく、間接的な識別情報を使うことがあります。

　例えば、ネットワーク関連モジュールの指定に「net-pf-ソケット種別-proto-プロトコル番号」といった形式の識別情報を使うことがありますし、特定のデバイスファイルと関連するモジュールの指定に「デバイス種別-major-メジャー番号-マイナー番号」という形式の識別情報を使うことがあります。こうした識別情報をモジュールの別名に設定するのです。

　例えば、SCTPというネットワークプロトコル用の「sctp」モジュールには「net-pf-2-proto-132」や「net-pf-10-proto-132」といった別名が付きますし、FDDドライバの「floppy」モジュールには「block-major-2-*」、サウンドデバイス用の「snd」モジュールには「char-major-116-*」といった別名が付けられています。こうすることで、あるプロトコルが要求されたり、あるデバイスファイルにアクセスがあった場合に、特定のモジュールを組み込む処理を簡単に実現できます。

　もう一つは、デバイスの識別に使う「modalias情報」を別名に設定するタイプです。modalias情報は検出されたデバイスごとに割り振られる固有の文字列です。modalias情報の形式はデバイスを接続するバスなどによって異なりますが、PCI/PCI-Express接続のデバイスの場合には、デバイスのベンダーIDやプロダクトIDなどの情報を基に生成された「pci:v00001002d00005A14sv00001002sd00005A14bc06sc00i00」のような文字列になります。各デバイスのmodalias情報は、/sys/devicesディレクトリー以下の機器別ディレクトリーにあるmodaliasファイルを調べると分かります。

　modalias情報は、デバイスの接続時などにカーネルからudevdに通知されます。udevdは、特にルールが設定されていない場合には「modprobe modalias情報」相当のコマンドを実行してモジュールを組み込みます。ルールが設定されている場合には、それに従った処理をします。

---

[*4]　__request_module()関数は、/proc/sys/kernel/modprobeファイルで指定されているプログラムを使ってモジュールを組み込みます。既定では「/sbin/modprobe」ですが、ファイルの内容を書き換えることで別のプログラムを使うように設定できます。

## 2-6 デバイスとモジュールの関連付け

　ハードウエアはほぼ共通のデバイスなのに、あるメーカーの製品AはLinuxで動作して、別のメーカーの製品Bは動作しないといったことがしばしばあります。

　原因の一つとして、デバイスドライバモジュール内の対応機器リストに製品Bの情報が存在しないことが挙げられます。ここでいう製品の情報とは、機器の製造元や製品を識別する「ベンダーID」と「プロダクトID」の組み合わせのことです。接続されている機器の製品情報は、PCI/PCI-Express接続機器の場合はlspciコマンド、USB接続機器の場合はlsusbコマンドを使って調べられます（**図9**）。

```
■PCI/PCI-Express接続機器のベンダーID／プロダクトIDの調査方法
$ lspci -n ⏎
00:00.0 0600: 1002:5a14 (rev 02)
00:02.0 0604: 1002:5a16
00:04.0 0604: 1002:5a18          この部分を参照
00:09.0 0604: 1002:5a1c
00:11.0 0106: 1002:4391 (rev 40)
00:12.0 0c03: 1002:4397
00:12.2 0c03: 1002:4396


■USB接続機器のベンダーID／プロダクトIDの調査方法
$ lsusb ⏎
Bus 001 Device 001: ID 1d6b:0002 Linux Foundation 2.0 root hub
Bus 002 Device 001: ID 1d6b:0002 Linux Foundation 2.0 root hub
Bus 003 Device 001: ID 1d6b:0002 Linux Foundation 2.0 root hub
Bus 004 Device 001: ID 1d6b:0001 Linux Foundation 1.1 root hub
Bus 005 Device 001: ID 1d6b:0001 Linux Foundation 1.1 root hub
Bus 006 Device 001: ID 1d6b:0001 Linux Foundation 1.1 root hub
Bus 007 Device 001: ID 1d6b:0001 Linux Foundation 1.1 root hub
Bus 008 Device 001: ID 1d6b:0002 Linux Foundation 2.0 root hub
Bus 009 Device 001: ID 1d6b:0003 Linux Foundation 3.0 root hub
```

```
Bus 004 Device 032: ID 05e3:0660 Genesys Logic, Inc. USB 2.0 Hub
Bus 004 Device 037: ID 0472:0065 Chicony Electronics Co., Ltd PFU-65 Keyboard [Chicony]
Bus 004 Device 034: ID 0582:0010 Roland Corp. EDIROL UA-5
Bus 004 Device 038: ID 0472:0065 Chicony Electronics Co., Ltd PFU-65 Keyboard [Chicony]
Bus 004 Device 039: ID 046d:c052 Logitech, Inc.    この部分を参照
Bus 007 Device 090: ID 04e8:6860 Samsung Electronics Co., Ltd
```

**図0　機器のベンダーID／プロダクトIDの調査方法**
PCI/PCI-Express接続機器の場合はlspciコマンド、USB接続機器の場合はlsusbコマンドを使って調べられます。

　USBイーサネットドライバの「pegasus」のような一部のモジュールは、モジュール組み込み時に、オプションを使って機器のベンダーIDやプロダクトIDを指定できます。これによって、指定したIDを対応機器リストに追加でき、実際にハードウエアが共通であればその機器を利用可能になります。しかし、こうしたモジュールの数は多くありません。

　その代わり、PCI/PCI-Express接続機器やUSB接続機器向けのモジュールの一部では、「ダイナミックデバイスID」という仕組みを利用できます。これは、モジュールを組み込んだ際に作成される「/sys/bus/バス名/drivers/モジュール名/new_id」という設定ファイルを使って、モジュールの対応機器を動的に追加する仕組みです。バス名には「pci」「pci_express」「usb」などがあります。

　この仕組みを使って、例えば、あるUSB接続機器を対応機器としてモジュールに追加するには、次のようにコマンドを実行します。ベンダーIDとプロダクトIDは16進数で記述します。

　最初にモジュールをmodprobeコマンドで組み込んでいるのは、組み込まないと、/sysディレクトリー以下にnew_idファイルを含むモジュール関連ファイルが現れないためです。

```
$ sudo modprobe モジュール名 ↵
$ sudo sh -c 'echo ベンダーID プロダクトID > /sys/bus/usb/drivers/モ
ジュール名/new_id' ↵
```

第2章　Linuxカーネルのモジュール管理

65

### ダイナミックデバイスIDを試す

　実際の機器で試してみましょう。ただ、「IDが異なるだけで、モジュールの能力的には対応可能」「価格などの面で入手が容易」という条件を満たす機器を見つけるのが困難です。そこで、ドライバの対応機器リストを削ることで、ダイナミックデバイスIDのテスト環境を構築します。

　以下では、中国Nanjing Qinheng Microelectronics社の「CH340」あるいは「CH341」チップを搭載する、USBシリアル変換ケーブル（**図10**）やUSBシリアル変換ボードを使う例を紹介します。これらの製品は、2024年6月時点ではネット通販などで1000円未満で入手できます。まずはそれを入手してください。本書が対象にするバージョン6.6のLinuxカーネルでは、大部分の製品をそのまま利用可能です。具体的には、製品をPCのUSBポートに接続するだけで、CH340/CH341チップ用の「ch341」モジュールが組み込まれ、「/dev/ttyUSB0」などのデバイスファイルが割り当てられます＊**5**。

**図10　CH340チップを搭載した製品の例**
「YFFSFDC」ブランドで販売されているUSBシリアル変換ケーブル。価格は約700円。

　製品を入手したら、バージョン6.6系のLinuxカーネルのソースコードを入手して、ビルド環境を構築します。次の3章で手順を紹介していますので、それに従って作業してください。

　続いて、モジュールのソースコードを書き換えます。ch341モジュールのソースコードは、「drivers/usb/serial/ch341.c」ファイルに記述されています。対応機器リストは、同ファイルの**図11**に示す部分です。このリストから、入手した製品のID

を含む行を削除します。例えば、ベンダーIDが「1a86」、プロダクトIDが「7523」の製品をリストから取り除くには、「¦ USB_DEVICE(0x1a86, 0x7523) ¦,」の行を削除します[*6]。

```
static const struct usb_device_id id_table[] = {
        { USB_DEVICE(0x1a86, 0x5523) },
        { USB_DEVICE(0x1a86, 0x7522) },
        { USB_DEVICE(0x1a86, 0x7523) },
        { USB_DEVICE(0x2184, 0x0057) },
        { USB_DEVICE(0x4348, 0x5523) },
        { USB_DEVICE(0x9986, 0x7523) },
        { },
};
```

図11　ch340モジュールの対応機器リスト部分
「drivers/usb/serial/ch341.c」ファイルのこの部分を書き換えます。

　書き換え後、Linuxカーネルをビルドし、モジュールを含めてインストールしてください。これも作業手順を3章で紹介しています。カーネルのビルド時には、「CONFIG_USB_SERIAL_CH341=m」とカーネル設定変数を定めてください[*7]。作業を終えたら、ビルドしたLinuxカーネルを使ってUbuntu 24.04 LTSやAlmaLinux OS 9を起動します。これで、テスト環境の準備は完了です。

　テストを始めましょう。PCのUSBポートに製品を接続してください。接続後、「sudo dmesg」コマンドを実行すると、**図12**のようなカーネルメッセージが表示されます。USB機器としては認識されているものの、モジュールの組み込みやデバイスドライバの割り当ては実施されていないことが分かります。

---

[*5]　ch341モジュールが組み込まれない場合には、後述するソースコードの改造は不要です。モジュールの組み込み状況はlsmodコマンド、デバイスファイルの割り当て状況は「sudo dmesg」コマンドを実行すると分かります。なお、Ubuntu 24.04 LTSでは、機器の接続テストの前に「sudo apt remove brltty」コマンドを実行してください。このコマンドを実行しておかなければ、デバイスファイルの割り当てが短時間に解除されてしまいます。テスト後に「sudo apt install brltty」コマンドを実行すれば、元の状態に戻せます。

[*6]　行頭に「//」を挿入してコメント行にしても構いません。

[*7]　これ以外にもモジュール機構を有効にしたり、USB機器を接続できる設定にしたりする必要があります。3章で紹介している手順でディストリビューションのカーネルビルド設定ファイルをコピーしてから「make olddefconfig」コマンドを実行すれば、必要な設定を施せます。

```
usb 3-1: new full-speed USB device number 3 using xhci_hcd

usb 3-1: New USB device found, idVendor=1a86, idProduct=7523, bcdDevice= 2.54

usb 3-1: New USB device strings: Mfr=0, Product=2, SerialNumber=0

usb 3-1: Product: USB2.0-Ser!
```

図12　機器接続時に出力されたカーネルメッセージ
「sudo dmesg」コマンドを実行すると表示されます。先頭の時刻表示部分は削除しています。

　その状態で次のようにコマンドを実行し、ダイナミックデバイスID機能を利用してください[8]。これは、製品のベンダーIDが「1a86」、プロダクトIDが「7523」の場合の例です。

```
$ sudo modprobe ch341 ⏎
$ sudo sh -c 'echo 1a86 7523 > /sys/bus/usb-serial/drivers/ch341-ua
rt/new_id' ⏎
```

　実行後に調べると、**図13**のようなカーネルメッセージが出力されているはずです。ch341モジュールに機器が認識されて、デバイスファイル（/dev/ttyUSB0）が割り当てられたことが分かります。

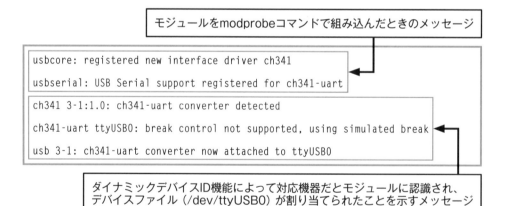

図13　ダイナミックデバイスID機能を利用したときに出力されたカーネルメッセージ
モジュールをmodprobeコマンドで読み込んだ際のものも含んでいます。先頭の時刻表示部分は削除しています。

---

　[8]　ch341モジュールの場合、バス名とモジュール名の指定がやや特殊なので注意してください。

# 第3章

# Linuxカーネルの
# ビルド方法

ソースコードからカーネルをビルドできるようになれば、ディストリビューションに付属するカーネルでは有効化されていない機能を利用したり、最新版のカーネルを試したりすることが可能になります。コツを覚えてしまえば、カーネルのビルドは決して難しくありません。

# 3-1 Linuxカーネルをビルドする利点

Linuxカーネルは、**図1**のようなソースコードの形で開発・配布されています*1。

```
(略)
asmlinkage __visible __init __no_sanitize_address __noreturn __no_stack_protector
void start_kernel(void)
{
        char *command_line;
        char *after_dashes;

        set_task_stack_end_magic(&init_task);
        smp_setup_processor_id();
        debug_objects_early_init();
        init_vmlinux_build_id();

        cgroup_init_early();

        local_irq_disable();
        early_boot_irqs_disabled = true;

        /*
         * Interrupts are still disabled. Do necessary setups, then
         * enable them.
         */
        boot_cpu_init();
        page_address_init();
        pr_notice("%s", linux_banner);
(略)
```

図1 Linuxカーネルのソースコードの例
init/main.cファイルに記述されているカーネルの起動処理をする関数のソースコードの一部です。

ソースコードのままでは稼働できず、稼働させるには、システムアーキテクチャー
に合わせたバイナリー形式に変換する必要があります。この変換作業のことを「ビ
ルド」（または「コンパイル」）と呼びます。

　ビルド時には、カーネルが備える各機能の有効化／無効化や、モジュールファイ
ル化するかどうかなどを設定できます（**図2**）。

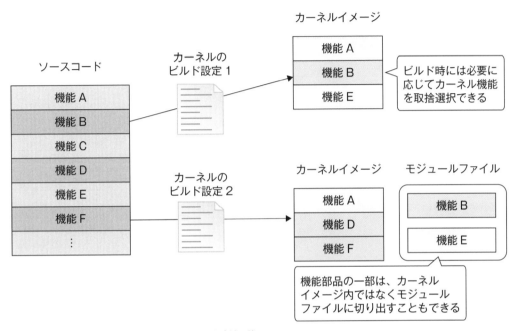

**図2　カーネルのビルド時に機能のカスタマイズが可能**
Linuxカーネルはソースコードの形で配布されています。稼働させるには、システムアーキテクチャに合わせたバ
イナリー形式に変換（ビルド）する必要があります。ビルド時には、カーネルが備える各機能の有効／無効や、モ
ジュール化するかどうかなどを設定できます。

　UbuntuなどのLinuxディストリビューションに付属するのは、ディストリビュー
ターが設定してビルド済みのバイナリー形式のLinuxカーネルです。そのため、イ
ンストールしてすぐに稼働できますが、ディストリビューターが無効化した機能は
利用できませんし、ディストリビューターが採用を決定した時点のやや古いバージョ
ンのカーネルしか利用できないことがほとんどです。

* 1　Linuxカーネルのソースコードは多数のファイルで構成されています。配布されているのは、それらのファイルをひ
とまとめにして圧縮した圧縮アーカイブファイルです。このほか、分散型バージョン管理システム「Git」のリポジトリー
でもソースコードが公開されています。Linuxカーネル関連のGitリポジトリーは「https://git.kernel.org/」とい
うURLにアクセスすると分かります。

カーネルを自分でビルドできるようになれば、好きな機能を有効化できますし、最新バージョンのカーネルを利用できるようにもなります。また、ソースコードを変更して機能をカスタマイズするといったことも可能になります。

## カーネルをビルドする三つの方法

Linux カーネルをビルド／インストールする方法は、主に三つあります（**表1**）。

表1 Linux カーネルをビルド／インストールする主な三つの方法

| ビルド／インストールの方法 | 長所 | 短所 |
|---|---|---|
| 公式カーネルのソースアーカイブをビルドしてインストール | 最新カーネルを利用できる。比較的作業が簡単でディストリビューションにもあまり依存しない | パッケージ管理システムでの管理ができず、カーネルのアンインストールに若干手間がかかる。ディストリビューション付属のカーネルとバージョンが異なる場合、インタフェースや機能の差によってシステムやアプリケーションの動作に問題が出る恐れがある |
| 公式カーネルのソースアーカイブからパッケージをビルドしてインストール | 最新カーネルを利用できる。比較的作業が簡単。パッケージ管理システムでカーネルを管理できるので、カーネルのアンインストールも容易 | パッケージをビルドするためのツールや作業が必要になる。ディストリビューション付属のカーネルとバージョンが異なる場合、インタフェースや機能の差によってシステムやアプリケーションの動作に問題が出る恐れがある |
| ディストリビューターが提供するカーネルのソースパッケージからパッケージをビルドしてインストール | ディストリビューションに適合したカーネルを作成できる。パッケージ管理システムでカーネルを管理できるので、カーネルのアンインストールも容易 | 作業手順がやや複雑で、しかもディストリビューションによって異なる。ディストリビューターが提供するバージョンのカーネル以外は利用しづらい |

　一つめは、「The Linux Kernel Archives」（https://www.kernel.org/）などで配布される公式カーネル[2]のソースアーカイブを入手して、それをビルドしてそのままインストールする方法です。ディストリビューションに依存せず、作業手順も単純ですから、まずはこの方法を覚えておきましょう。

　この方法を知っておけば、好きなバージョンのカーネルを自由にビルド／インストールできます。ただし、この方法はカーネルをアンインストールする方法が少しだけ面倒です。また、ディストリビューションに付属するカーネルと異なるバージョンをインストールすると、アプリケーション向けのインタフェースが変わることや、機能の差異などによって、システムやアプリケーションの動作に問題が生じることがあります[3]。

　二つめは、公式カーネルのソースアーカイブを入手して、それをもとにディスト

リビューションに適合したソフトウエアパッケージをビルドし、それをインストールする方法です。一つめに比べると準備すべきツールや手順が若干増えますが、カーネルをパッケージ管理システムで管理できるため、アンインストール作業が簡単になる利点があります。

　二つめは、ディストリビューターが提供するカーネルのソースパッケージを入手して、それをビルド／インストールする方法です。前述の二つの方法とは異なり、ディストリビューションに適合するカーネルを導入できるので、導入後の不具合が生じる恐れが少ないのが大きな利点です※4。その半面、ソースパッケージの入手方法やビルドの手順がディストリビューションごとに違っていて、しかも作業手順は全体的にやや複雑です。ディストリビューターが提供するバージョンのカーネル以外は利用しにくいという欠点もあります。

　以下では、Ubuntu 24.04 LTS（デスクトップ版）とAlmaLinux OS 9（最小構成版）を例に、一つめと二つめの方法を紹介します。いずれのディストリビューションも、sudo可能な作業用ユーザーを作成し、パッケージを追加せずに、**セキュアブート**※機能が無効なPCにインストールしているものとします。また、インストール後、パッケージを最新状態にアップデートしているものとします。

　三つめの方法については、本書では解説しません。手順については、各ディストリビューション向けの文書を参照してください。

---

※2　余計な変更（味付け）を加えていないという意味で、公式カーネルのことを「バニラカーネル」（vanilla kernel）と呼ぶこともあります。

※3　Linuxカーネルは、API（Application Programming Interface）とABI（Application Binary Interface）の後方互換性を極力保つように作られています。そのため、ディストリビューションに付属するものより新しいバージョンのカーネルを使う分には問題は生じにくくなっています。

※4　有効にするカーネル機能を極端に減らすなど、大幅な設定変更をした場合は、システムやアプリケーションの動作に支障が出る場合があります。

【セキュアブート】登録されている証明書で検証できる署名が付いたブートローダーやOSのみを利用可能にするUEFIのセキュリティ機能。

## 3-2 ビルドに必要なソフトウエアを導入

それではLinuxカーネルをビルドするための具体的な手順を紹介します。ここではUbuntu 24.04 LTSあるいはAlmaLinux OS 9がインストールされたPC上で、バージョン6.6系のLinuxカーネルをビルドし、そのカーネルをインストールして起動する作業をやっていきます。

最初に、ビルドに必要なソフトウエアを導入する手順を解説します。

Linuxカーネルのソースコードの大部分はC言語で記述されています。そのためカーネルのビルドには、**Cコンパイラ**\*が必要です。

ただし、Cコンパイラであれば何でも良いというわけではありません。Linuxカーネルでは「GCC」（GNU Compiler Collection）の拡張機能を積極的に使用しており、GCC以外のCコンパイラでは基本的にビルドできません\* **5**。

GCCのほか、makeコマンドなどのビルド支援ツール、Cライブラリなどを使うための**ヘッダーファイル**\*、いくつかのライブラリなども必要です。これらのソフトウエアは、例えばUbuntu 24.04 LTSには次の手順でインストールできます。

```
$ sudo apt update 
$ sudo apt install build-essential bc bison debhelper flex libelf-
dev libssl-dev libncurses-dev 
```

AlmaLinux OS 9には、次のコマンドを実行することでインストールできます。

```
$ sudo dnf install bc bison dwarves elfutils-libelf-devel flex gcc
gcc-c++ ncurses-devel openssl-devel perl rpmbuild rsync tar 
```

文字ベースのユーザーインタフェースを提供するためのライブラリのヘッダーファイルを提供する「libncurses-dev」や「ncurses-devel」パッケージは、後述するカーネル設定用のmakeコマンド**ターゲット**\*（menuconfigまたはnconfig）で必要です。

ここで紹介した手順では、後述するカーネルのパッケージをビルドする場合に必

要なソフトウエアもインストールできます。

　Linuxカーネルのビルド時には、カーネルイメージやモジュールファイルを圧縮する設定ができます。設定した場合には、カーネルイメージについては「bzip2」「gzip」「lz4c」「lzma」「lzop」「xz」「zstd」のいずれか、モジュールファイルについては「gzip」「xz」「zstd」のいずれかの圧縮コマンドが必要です。

　Ubuntu 24.04 LTSには、ここまでの作業で「gzip」「bzip2」「lzma」「xz」「zstd」がインストールされた状態になります。「lzop」「lz4c」を使う場合には、次のコマンドを実行してインストールしてください。

```
$ sudo apt install lz4 lzop ⏎
```

　AlmaLinux OS 9には、「gzip」「xz」は既定でインストールされます。「bzip2」「lz4c」「lzma」「lzop」「zstd」を使う場合には、次のコマンドを実行してインストールしてください。

```
$ sudo dnf install bzip2 lz4 lzma lzop zstd ⏎
```

　なお、Ubuntu 24.04 LTSに付属するモジュール管理ツール（kmod）は、gzipで圧縮したモジュールファイルには対応していません。モジュールファイルをgzipで圧縮する設定にしないように注意してください。

---

【Cコンパイラ】C言語で記述されたソースコードをもとに実行可能なバイナリーファイルを生成するソフトウエアです。
＊5　64ビットのx86アーキテクチャーの場合は、バージョン5.3以降のカーネルを「Clang/LLVM」というCコンパイラでビルドできます。
【ヘッダーファイル】ライブラリなどのAPIを定義したファイル。Linuxカーネル自体は、Cライブラリなどのほかのライブラリの機能を使わずに実装されていますが、カーネルと同時にビルドされるツールで使用しており、それらのツールをビルドするためにヘッダーファイルが必要です。
【ターゲット】makeコマンドによって一括処理する一連の処理に名前を付けたもの。makeコマンド用の設定ファイル（Makefile）に記述します。「make ターゲット名」で実行できます。

# 3-3 ソースアーカイブの入手と展開

ツールを準備したら、ソースアーカイブを入手して展開してみましょう。カーネルのソースアーカイブは前述のThe Linux Kernel Archivesや、そのミラーサイトから入手できます（**図3**）。

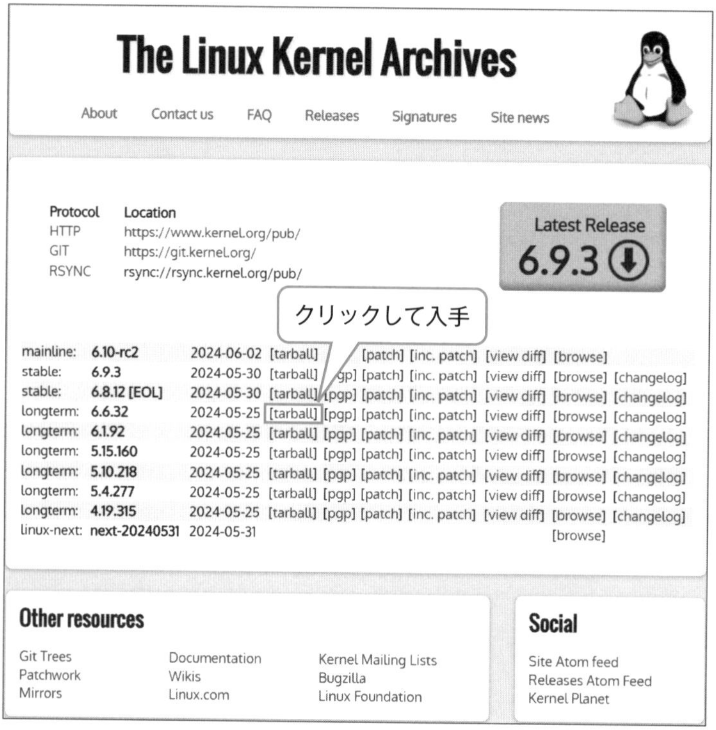


**図3　カーネルのソースアーカイブを入手する**
The Linux Kernel Archives（https://www.kernel.org/）でダウンロードできます。ここでは「longterm」の作業時点の最新版「6.6.32」を入手しています。

ソースアーカイブが提供されるカーネルの種類は、「mainline」「stable」「longterm」の主に三つがあります。

mainlineは、現在開発中（あるいはリリース直後）の最新カーネルです。あるメジャーバージョン（バージョン番号については後述）のカーネル（例えば「6.9」）がリリースされると、若干の準備期間を経て、次のメジャーバージョン（例えば「6.10」）のmainlineカーネルの開発が始まります。正式リリースまでの間に、開発途中のバージョンが何度かテスト用に公開されます。テスト用のカーネルには、バー

ジョン番号の末尾に「-rc1」や「-rc2」などの文字列が付加されます[*6]。

正式リリースされたmainlineカーネルは、安定版を意味する「stable」に分類されます。正式リリース直後の最新版カーネルは「mainline」でもあり「stable」でもあります。stableカーネルは、リリース後しばらくの間はバグ修正などのメンテナンスが継続され、マイナーバージョン番号を付加したバージョン（例えば「6.9.1」や「6.9.2」など）が何度かリリースされます。

stableカーネルのメンテナンスは、次のメジャーバージョンのカーネルがリリースされると、後述するlongterm版以外、基本的には中止されます。

なお、ここまで特に説明せずにメジャーバージョン番号やマイナーバージョン番号という言葉を使ってきましたが、stable版などのLinuxカーネルのバージョン番号は厳密には「（メジャー）バージョン」「パッチレベル」「サブレベル」の三つの数字で構成されます（図4）。メジャーリリースの際には前の二つが更新されるため、実質的にそれら二つがメジャーバージョン番号、サブレベルがマイナーバージョン番号であると見なせます。

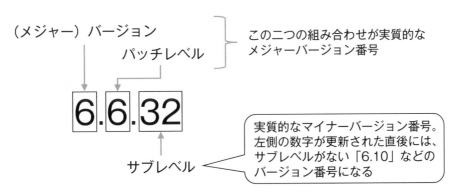

図4　stable（安定版）カーネルのバージョン番号
複数の番号を組み合わせて構成されています。

stableカーネルの中から、長期間メンテナンスをする「longterm」カーネルが年に一つ程度の間隔で選出されます。メンテナンス期間は3〜6年間です[*7]。本書が対象とするバージョン6.6系列のカーネルもlongtermカーネルです。

カーネルのソースアーカイブは、「linux-カーネルのバージョン番号」で始まるファ

[*6]　「rc」は「release candidate」（リリース候補版）であることを意味します。
[*7]　longtermカーネルのメンテナンス期間は短くなる傾向にあります。バージョン6.6系列は約3年間ですが、今後のバージョンは2年間に短縮される見込みです。

イル名を付けて配布されています。バージョン6.x系列は「https://mirrors.edge.kernel.org/pub/linux/kernel/v6.x/」というURLなどから入手できます。

例えば、バージョン6.6.32のカーネルのソースアーカイブは「linux-6.6.32.tar.xz」のようなファイル名で配布されています。tar.gz形式とtar.xz形式の2種類が用意されており、一般に後者の方がアーカイブサイズは小さくなっています。

ソースアーカイブの見分け方が分かったところで実際に入手しましょう。図3に示した手順でWebブラウザーを使ってダウンロードするか、次のようなコマンドのいずれかを実行してダウンロードしてください。

```
$ wget https://cdn.kernel.org/pub/linux/kernel/v6.x/linux-6.6.32.ta
r.xz ⏎
$ curl -LO https://cdn.kernel.org/pub/linux/kernel/v6.x/linux-6.6.3
2.tar.xz ⏎
```

ソースアーカイブは、次のようにtarコマンドを実行すると展開できます。

```
$ tar xvf ソースアーカイブファイル名 ⏎
```

コマンドの実行が終わると、「linux-カーネルのバージョン番号」という名前のディレクトリーが生成され、そのディレクトリー以下にカーネルのソースコードなどを記述したファイル群が展開されます。カーネルソースを展開する場所は、一般ユーザーが書き込みできる場所であればどこでも構いません。例えば、「~/tmp」などの作業用ディレクトリーを作成し、そこに展開するとよいでしょう。

なお、ソースアーカイブを展開して生成されたディレクトリー（ソースディレクトリー）やその中のファイル群は、カーネルのビルドやインストールの作業が終わったあとは削除して構いません。

ただし、サードパーティー製のモジュールをビルドする場合などには、「/lib/modules/カーネルのリリース番号/build」や「/lib/modules/カーネルのリリース番号/source」というシンボリックリンクを通じて、ソースディレクトリーにアクセスできるようになっている必要があります。そういう作業をする可能性があるならば、ソースディレクトリーはそのまま残しておいた方がよいでしょう。

# 3-4 ソースツリー解説

　ソースアーカイブを展開すると、多数のサブディレクトリーで構成されるディレクトリー階層が作成され、そこにソースコードなどを記述したファイル群が作成されます。これらのディレクトリー階層のことを「ソースツリー」と呼びます。ここでは、このソースツリーについて簡単に解説します。

　ソースツリーの根元、つまりソースツリーの最上位ディレクトリー（以下では、このディレクトリーを「トップディレクトリー」と呼びます）には、**表2**のようなファイルやディレクトリーが配置されます。

**表2　トップディレクトリーに配置されるファイルやディレクトリー**

| 種別 | 名前 | 格納する情報 |
|---|---|---|
| ファイル | COPYING | カーネルの利用ライセンス文書 |
| | CREDITS | Linuxプロジェクトに貢献した人々の氏名や連絡先 |
| | Kbuild | カーネルビルド用の設定ファイル |
| | Kconfig | カーネルのビルド設定ツールで使用するファイル |
| | MAINTAINERS | カーネルの各部分のメンテナンス責任者の氏名や連絡先 |
| | Makefile | カーネルのビルドや設定に使用するツールの設定ファイル |
| | README | 最初に読むべき説明文書 |

79

| 種別 | 名前 | 格納する情報 |
|---|---|---|
| ディレクトリー | Documentation | カーネル関連のさまざまな文書 |
| | LICENSES | カーネルを構成する各ソースコードの利用ライセンス文書 |
| | arch | アーキテクチャ依存のソースコードやヘッダーファイル |
| | block | ブロック入出力層関係のソースコード |
| | certs | 署名チェックに使用する証明書関連のソースコード |
| | crypto | 暗号API関連のソースコード |
| | drivers | デバイスドライバのソースコード |
| | fs | ファイルシステムのソースコード |
| | include | カーネル自身やアプリケーションが参照するヘッダーファイル |
| | init | カーネルの起動や初期化などの処理用のソースコード |
| | io_uring | 非同期I/Oインタフェース「io_uring」のソースコード |
| | ipc | プロセス間通信のためのソースコード |
| | kernel | カーネルのコア部分のソースコード |
| | lib | カーネル内のさまざまな場所で使用する共用コード（ヘルパールーチン） |
| | mm | メモリー管理関連のソースコード |
| | net | ネットワーク関連のソースコード |
| | rust | Rust言語でカーネル機能を開発するためのソースコードなど |
| | samples | サンプルコードやデモンストレーション用のコード |
| | scripts | カーネルビルド時やテストなどに使用するスクリプト |
| | security | セキュリティモジュールのソースコード |
| | sound | サウンド関連のソースコード |
| | tools | カーネルの開発やデバッグに役立つツールやそのソースコード |
| | usr | システム初期化用ファイルシステムイメージ（initramfs）関連のソースコード |
| | virt | 仮想化関連のソースコード |

このうち、kernelディレクトリーには、タスクスケジューラなどのカーネルのコア部分のソースコードを記述したファイルが格納されています。例えば、第4章で解説するタスクスケジューラのソースコードは「kernel/sched/fair.c」というファイルに記述されています[*8]。カーネルのコア部分の処理について調べたい場合は、kernelディレクトリー以下のファイルを調べるとよいでしょう。

　デバイスドライバのソースコードは、driversディレクトリー以下に種類別に分類されて格納されています。例えば、PCI-Express接続のギガビットイーサネットアダプター「インテル PRO/1000 PTサーバーアダプター」など向けのデバイスドライバ「e1000e」のソースコードファイルは、「drivers/net/ethernet/intel/e1000e」ディレクトリーに格納されています。デバイスドライバの動作を一部変更したいといった場合には、driversディレクトリー以下のファイルから該当するデバイスドライバのソースコードが記述されているものを探して、それを変更します。

　カーネルの利用者の視点で重要なのは、「Documentation」ディレクトリーです。このディレクトリーには、カーネルの利用や開発に役立つさまざまな文書ファイルが格納されているからです。例えば、カーネルのリリースノートは「Documentation/admin-guide/README.rst」というファイルに記述されています[*9]。カーネルの起動時に指定できる起動オプション（カーネルパラメーター）の一覧は「Documentation/admin-guide/kernel-parameters.rst」などのファイルに記述されています。

---

[*8]　ソースツリー内のファイルは一般に、このようにトップディレクトリーからの相対パスで示します。

[*9]　末尾の「.rst」は、ドキュメント生成ツール「Sphinx」用のファイルであることを示します。この形式のファイルからは、同ツールを使ってHTML形式やPDF形式などの書式付き文書を生成できます。なお、単なるテキストファイルとして、lessコマンドなどで読むこともできます。

# 3-5 カーネルのビルド設定

カーネルのビルド時には、カーネルの各種機能の有効化や無効化、モジュール化を指示できます。こうした指示は、機能ごとに用意された「CONFIG_設定名」という形式のカーネル設定変数に「y」(有効化してカーネルイメージに組み込む)、「n」(無効化)、「m」(有効化してモジュールファイルに切り出す)のいずれかの文字を指定することで設定できます[*10]。

例えば、「ext4」というファイルシステムに対応するための機能を有効化してカーネルイメージに組み込むには、次のようにカーネル設定変数に文字を指定します。

```
CONFIG_EXT4_FS=y
```

こうしたカーネル設定変数は、ソースツリーのトップディレクトリーに格納される「.config」という名前のファイルに**図5**のような形式で記述します。このファイルに記述しなかったカーネル設定変数は、「n」を指定したのと同じ、つまり機能を無効化する指定をしたものとして取り扱われます。

```
#
# File systems
#
CONFIG_DCACHE_WORD_ACCESS=y
# CONFIG_VALIDATE_FS_PARSER is not set
CONFIG_FS_IOMAP=y
# CONFIG_EXT2_FS is not set
# CONFIG_EXT3_FS is not set
CONFIG_EXT4_FS=y
CONFIG_EXT4_USE_FOR_EXT2=y
CONFIG_EXT4_FS_POSIX_ACL=y
CONFIG_EXT4_FS_SECURITY=y
# CONFIG_EXT4_DEBUG is not set
CONFIG_JBD2=y
```

```
# CONFIG_JBD2_DEBUG is not set

CONFIG_FS_MBCACHE=y

（略）
```

**図5　ビルド設定ファイル「.config」の記述例**

.configファイル内のファイルシステム関連の記述を抜き出したものです。「CONFIG_設定名」という形式のカーネル設定変数に『y』や『m』といった値が設定されていることが分かります。コメント にするなどとしてカーネル設定変数を記述しないようにすると、その機能を無効化できます。

カーネル設定変数を覚えているならば、.configファイルを直接編集して記述しても構いません。しかしカーネル設定変数は2万種類以上あり、それらをすべてユーザーが把握して手動で記述するのは大変です。そこで、対話形式あるいはメニュー形式でカーネルのビルド設定をするための、makeコマンドのターゲットが複数用意されています。これらのターゲットは、ソースツリーのトップディレクトリーで「make ターゲット名」の形でコマンドを実行すると起動します（**表3**）。

**表3　対話的なビルド設定用のmakeコマンドターゲット**

| ターゲット名 | 解説 |
|---|---|
| config | カーネル設定変数を一つずつ順に表示して、どのような値を設定するかを対話的にたずねる |
| menuconfig | 文字ベースの設定メニューを表示。任意の順番でカーネル設定変数に値を設定できる。実行にはncursesライブラリとそのヘッダーファイルが必要 |
| nconfig | 文字ベースの設定メニューを表示。menuconfigとはUIや実装方法が異なる。実行にはncursesライブラリとそのヘッダーファイルが必要 |
| xconfig | GUI設定メニューを表示。任意の順番でカーネル設定変数に値を設定できる。実行にはQtライブラリとそのヘッダーファイルが必要 |
| gconfig | GUI設定メニューを表示。任意の順番でカーネル設定変数に値を設定できる。実行にはGTK+ライブラリとそのヘッダーファイルが必要 |

使いやすいのは、「menuconfig」（**図6**）または「nconfig」ターゲットです。これらターゲットが表示する設定メニューは、設定項目が階層的に分類されている上、各設定項目を選んだ状態で\<Help\>を選択すると設定項目についての説明が表示されるので分かりやすくなっています。GUI設定メニューを表示するほかのターゲットに比べると、キーボードだけで操作できて（慣れると）素早く設定できることや、ネットワーク経由でのリモート操作時にも操作しやすいという利点があります。

＊10　有効化もしくは無効化だけが可能なカーネル設定変数もあります。これらの文字の代わりに数値や文字列を指定するカーネル設定変数もあります。

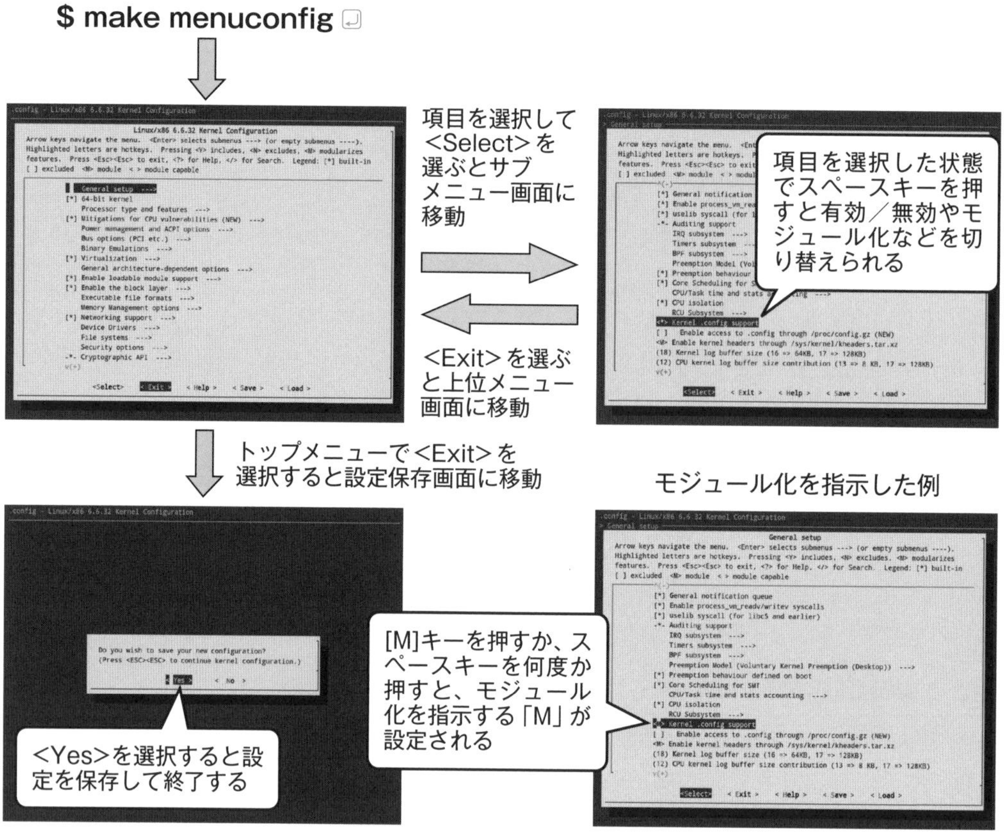
$ make menuconfig
項目を選択して<Select>を選ぶとサブメニュー画面に移動
<Exit>を選ぶと上位メニュー画面に移動
項目を選択した状態でスペースキーを押すと有効／無効やモジュール化などを切り替えられる
トップメニューで<Exit>を選択すると設定保存画面に移動
モジュール化を指示した例
<Yes>を選択すると設定を保存して終了する
[M]キーを押すか、スペースキーを何度か押すと、モジュール化を指示する「M」が設定される

図6　menuconfigターゲットによる設定の方法

選択箇所の移動には矢印キーか［Tab］キー、設定値の変更にはスペースキーか、［Y］［M］［N］の各キーを使います[*11]。<Select><Exit><Help>の選択には［Enter］キーを使います。

### 既存のビルド設定ファイルをベースに設定する方法

menuconfigなどのビルド設定用ターゲットを使うことで、作業負荷はある程度軽減されます。しかしそれでも設定項目の数は膨大ですし、どのような設定項目を有効化／無効化すべきか、あるいはモジュール化すべきかなどを正しく判断するためには、Linuxカーネルやハードウエアなどについてのかなりの知識を要求されます。

ディストリビューションに付属するビルド設定ファイルを流用すれば、こうした作業負荷や難しさを大幅に減らせます。

大部分のディストリビューションは、/bootディレクトリーなどに「config-カー

ネルのリリース番号」といった名前のビルド設定ファイルを配置しています。これを使えば、すぐにディストリビューションのカーネルと同じビルド設定にできます。その上で、変更したい部分だけをビルド設定用ツールで設定すれば短時間での設定が可能です。

例えば、Ubuntu 24.04 LTSの「/boot/config-6.8.0-31-generic」という設定ファイルから設定を流用するには、ソースツリーのトップディレクトリーで次のコマンドを実行します。

```
$ cp /boot/config-6.8.0-31-generic .config ⏎
$ make olddefconfig ⏎
```

「olddefconfig」は、.configファイルを調べて、これからビルドしようとするカーネル用の設定変数が記述されていない場合には、既定値を設定して追加するターゲットです。既定値を設定するのではなく、個別に設定したい場合には「oldconfig」ターゲットを使います。

ビルド設定ファイルが想定するカーネルのバージョンと、ビルドしようとするカーネルのバージョンが異なる場合は、olddefconfigやoldconfigターゲットを実行しましょう。

なお、menuconfigやnconfigなどの対話的な設定用のターゲットや、olddefconfig/oldconfigターゲットを.configファイルが存在しない状態で実行すると、現在稼働中のカーネルのビルド設定情報を読み込みます。ビルド設定情報は、「/lib/modules/カーネルのリリース番号/.config」「/etc/kernel-config」「/boot/config-カーネルのリリース番号」のいずれかのファイルから読み込みます（先に記述したファイルが優先されます）。それで十分な場合には、cpコマンドでビルド設定ファイルをコピーする必要はありません。

---

＊11　数値や文字列を設定する項目の場合は、キーボードからそれを入力します。

## ほかのビルド設定用のmakeコマンドターゲット

前述のolddefconfig以外にも、makeコマンドに指定できるビルド設定用のターゲットがあります(**表4**)。これらを活用すると、ビルド設定をさらに省力化できます。

表4　そのほかのビルド設定用の主なmakeコマンドターゲット

| ターゲット名 | 動作 | 備考 |
|---|---|---|
| defconfig | すべてのカーネル設定変数をデフォルト値にした.configファイルを生成する | x86_64向けのデフォルト値は、arch/x86/configs/x86_64_defconfigファイルから読み込まれる |
| allyesconfig | 可能な限り多くのカーネル設定変数に「y」を設定した.configファイルを生成する | 排他関係となるカーネル設定変数群は、最優先の一つに「y」が設定され、他のものは無効化される |
| allmodconfig | 可能な限り多くのカーネル設定変数に「m」を設定した.configファイルを生成する | モジュール化できないカーネル設定変数には「y」が設定される |
| allnoconfig | 可能な限り多くのカーネル設定変数を無効化した.configファイルを生成する | 最低限必要なカーネル設定変数には「y」などの値が設定される |
| randconfig | カーネル設定変数にランダムな値を設定する | |
| localmodconfig | 現在稼働中のモジュールを調査し、稼働中のモジュールに対応する.configファイル内に記述されているカーネル設定変数に「m」を設定する。他のモジュールに対応するカーネル設定変数は無効化する | .configファイルが存在しない場合は、稼働中のカーネルのビルド設定を読み出して、それに対して処理を実施する |
| localyesconfig | localmodconfigと同様だが、稼働中のモジュールに対応するカーネル設定変数に「y」を設定する | .configファイルが存在しない場合は、稼働中のカーネルのビルド設定を読み出して、それに対して処理を実施する |

中でも有用なのが、localmodconfigというターゲットです。「make localmodconfig」というコマンドを実行すると、現在使用中のモジュールを調査し、その結果に基づいて.configファイル内の設定を調整します。具体的には、現在使用中のモジュールに対応するカーネル設定変数には「m」を設定し、それ以外のモジュール化可能なカーネル設定変数をすべて無効化します。つまり、システム稼働に最小限必要なモジュールファイルだけを生成するように、既存のビルド設定を調整してくれるのです。この調整をすることで、カーネルのビルドにかかる時間を大幅に短縮できます。

ただしlocalmodconfigターゲットは、あくまでも現在のビルド設定に記述されているモジュール化可能なカーネル設定変数を調整するためのものです。現在のビルド設定に記述されていないカーネル設定変数を新たに追加設定することはありません。そのため、例えば、次のようにコマンドを実行しても、意味のあるビルド設定

は生成できませんので注意してください※12。

```
$ make allnoconfig ⏎    ←カーネル設定変数を可能な限り無効化（削除）する
$ make localmodconfig ⏎ ←記述されていないカーネル設定変数はそのままになる
```

　また、allyesconfigやallmodconfig、allnoconfig、randconfigは、ビルドテスト用
のターゲットです。そのため、例えばallyesconfigを使っても「機能が盛りだくさん
の最強カーネル」をビルドできるわけではないことに注意してください。そのまま
では、起動すらできないカーネルになることもあります。

## ディストリビューションの設定をベースにする際の注意

　ディストリビューションのカーネルのビルド設定をベースに作業する場合には、
セキュリティ機能で利用する証明書の設定に注意する必要があります。

　最近のディストリビューションでは、CONFIG_SYSTEM_TRUSTED_KEYS設
定変数などに証明書ファイルのパス名を設定するようになっています。しかし、公
式カーネルのソースコードには、その証明書ファイルが付属していません。そのため、
そのままカーネルをビルドしようとしても、途中でエラーになってビルドが中断し
てしまいます。

　これを回避するには、ソースツリーのトップディレクトリーで次のコマンドを実
行してからカーネルをビルドします。これは、.configファイルから証明書ファイル
のパス名設定を除去するコマンドです。

```
$ ./scripts/conf --set-str CONFIG_SYSTEM_TRUSTED_KEYS "" ⏎
$ ./scripts/conf --set-str CONFIG_SYSTEM_REVOCATION_KEYS "" ⏎
```

　もちろん、.configファイルをエディタなどで編集して対策しても構いません。
menuconfigやnconfigターゲットで設定する場合は、「Cryptographic API」-
「Certificates for signature checking」を選択して表示される画面にある「Additional
X.509 keys for default system keyring」「X.509 certificates to be preloaded into

※12　ただし、.configファイルが存在しない状態でlocalmodconfigやlocalyesconfigターゲットを実行した場合は、
　　　現在稼働中のカーネルのビルド設定情報を読み出して、それに基づいた設定をします。

the system blacklist keyring」項目に空の文字列を設定します。

## AlmaLinux OS 9ではモジュールの署名アルゴリズムに注意

　AlmaLinux OS 9で、「CONFIG_MODULE_SIG=y」というビルド設定にして、署名を使ったモジュールの検証をする際には注意が必要です。このビルド設定にすると、署名の生成時に用いるハッシュアルゴリズムとして既定で「SHA-1」が選択されるのですが、AlmaLinux OS 9に付属するセキュリティライブラリではSHA-1が無効化されています。そのため、そのままの設定でカーネルをビルドしようとしても、途中でエラーになってビルドが中断してしまいます。

　これを回避するには、ソースツリーのトップディレクトリーで、例えば次のコマンドを実行してからカーネルをビルドします。これは、ハッシュアルゴリズムに「SHA-512」を使用するように.configファイルを変更するコマンドです。

```
$ for hash in 1 224 256 384; do ./scripts/config --disable CONFIG_
MODULE_SIG_SHA${hash}; done ⏎
$ ./scripts/config --enable CONFIG_MODULE_SIG_SHA512 ⏎
$ ./scripts/config --set-str CONFIG_MODULE_SIG_HASH sha512 ⏎
```

　menuconfigやnconfigターゲットで設定する場合は、「Enable loadable module support」を選択して表示される画面にある「Which hash algorithm should modules be signed with?」項目でSHA-1以外のハッシュアルゴリズムを選択します。

ビルド設定を終えたら、カーネルをビルドしてインストールできます。ソースツリーのトップディレクトリ で次のコマンドを実行すると、カーネルをビルドしたのち、インストールが行われます。

```
$ make ⏎
$ sudo make modules_install ⏎
$ sudo make install ⏎
```

最初に実行するmakeコマンドでカーネルがビルドされます。makeコマンドの実行完了までの時間は、PCの性能やビルド設定によって変わります。低性能なPCで多くの機能を有効化した場合は、1～数時間かかることもあります。

次の「make modules_install」コマンドでモジュールファイルが、「make install」コマンドでカーネルイメージや、初期化用ディスクイメージがインストールされます。カーネルイメージのインストール後には、ブートローダーの設定も更新されます。

なお、ビルドの際にはmakeコマンドに「-j 数字」という形でオプションを指定することで、稼働させるプロセスの数を指定できます。これを活用するとビルド時間を短縮できます。一般に、PCの論理的なCPU数（CPUコア数）と同じ数値を指定すると、効率的に並列処理ができて良好な結果が得られます。

nprocコマンドを使えば、論理的なCPU数を得られますので、次のようにmakeコマンドを実行するとよいでしょう。

```
$ make -j $(nproc) ⏎
```

「make modules_install」コマンドの実行によって、ビルドしたモジュールファイルが「/lib/modules/カーネルのリリース番号」というディレクトリー以下にインストールされます。

この方法でインストールされるモジュールファイルは、デバッグに役立つシンボル情報を含んでいます。通常は問題ないのですが、初期化用ディスクイメージのサ

イズが大きくなり過ぎてブートできなくなる場合があります。そのような場合には、次のコマンドを実行してください。

```
$ sudo make modules_install INSTALL_MOD_STRIP=1 ⏎
```

　このコマンドによって、シンボル情報を削除したモジュールファイルがインストールされます。

　「make install」の実行によって、「installkernel」というコマンドが呼び出されます*13。これによって、多くのディストリビューションでは、カーネルイメージファイルが/bootディレクトリーにコピーされ、ビルドしたカーネルで起動するための設定がブートローダーのメニューに追加されます。カーネルイメージファイルは一般に「vmlinuz」から始まる名前になります。

　新しいカーネルのインストール後は、ブートローダーのメニューからそのカーネルを選択することで起動できます。システムで現在利用中のカーネルのリリース番号は、次のコマンドを実行することで確認できます。

```
$ uname -r ⏎
```

### カーネルのアンインストール方法

　前述した手順でインストールしたカーネルとモジュールファイルをアンインストールする場合は、一般に「モジュールファイルのインストール先ディレクトリーの削除」「カーネルイメージの削除」「ブートローダーの設定更新」の三つの作業が必要です。

　モジュールファイルのインストール先ディレクトリーの削除は簡単です。「/lib/modules/カーネルのリリース番号」というディレクトリーを削除すればよいのです。例えば、バージョン6.6.32のカーネルをビルドしてインストールした場合は、次のコマンドを実行すればモジュールファイルのインストール先ディレクトリーを削除できます。

```
$ sudo rm -rf /lib/modules/6.6.32 ⏎
```

カーネルイメージや初期化用ディスクイメージの削除、ブートローダーのメニュー
から設定を取り除く作業はディストリビューションによって異なります。

　AlmaLinux OS 9の場合は、次のコマンドを実行するだけで、これらの作業を一
括して実施できます。

```
$ sudo kernel install remove カーネルのリリース番号 ⏎
```

　Ubuntu 24.04 LTSの場合は、まず、次のコマンドを実行します。これにより、
/bootディレクトリーに配置されていたカーネルイメージファイルや初期化用ディ
スクイメージなどを削除できます。

```
$ sudo rm -i /boot/*カーネルのリリース番号* ⏎
```

　カーネルのリリース番号の前後に「*」というワイルドカードを指定することで、
複数のファイルをまとめて削除できます。また、-iオプションを指定することで、
ファイルの削除時に確認を求めるようになるので安心です。

　続いてブートローダーの設定を更新します。それには、次のコマンドを実行します。

```
$ sudo update-grub ⏎
```

### 前回のビルド作業時に生成したファイルの削除方法

　一度カーネルをビルドした後、ビルド設定を変えたり、ソースコードの一部を編
集したりして、カーネルを再度ビルドしたい場合があります。その場合も、多くの
場合は、通常通りのビルド／インストールの手順を繰り返すことで、設定やソース
コードの変更を反映したカーネルをビルドできます。

　ただ、過去のビルド時に生成されたファイルが原因で、カーネルの再ビルドがう
まくいかないこともあります。その場合は、ソースツリーのトップディレクトリー
で次のコマンドを実行します。これによって、過去のビルド時に生成されたファイ

---

＊13　installkernelコマンドは各ディストリビューションに合わせて作成されています。このコマンドを介することで、ディ
　　　ストリビューションごとの違いを意識せずにカーネルをインストールできるようになっています。

ルを削除できます。

```
$ make clean ⏎
```

　cleanターゲットのほか、「mrproper＊14」や「distclean」というターゲットも利用できます。mrproperは、cleanターゲットで削除できるファイルに加えて、ビルド設定ファイル（.config）や電子署名関連のファイルなども削除します。distcleanは、mrproperターゲットで削除できるファイルに加えて、ソースツリー内にあるファイル名末尾が「.orig」「.rej」「~」「.bak」などの（バックアップ用の）ファイルも削除します。

＊14　このターゲット名は「Mr.Proper」という洗剤の名前に由来します。

## 3-7　パッケージをビルドしてそれを使ってカーネルをインストールする方法

ソースツリーの「scripts/Makefile.package」ファイルには、「rpm」「deb」「snap」などの形式のパッケージでカーネルをビルドするためのターゲットが記述されています。ディストリビューション付属のカーネルのように、パッケージ管理システムを使ってインストールやアンインストールできるようにしたい場合には、こうしたパッケージ形式のカーネルが必要になります。

rpm形式のバイナリーパッケージをビルドする場合は「binrpm-pkg」、deb形式のバイナリーパッケージをビルドする場合は「bindeb-pkg」、snap形式のバイナリーパッケージをビルドする場合は「snap-pkg」を使用します。

ただし、これらのターゲットを使用する場合は、それぞれのパッケージをビルドするのに必要なソフトウエアを追加インストールする必要があります。

Ubuntu 24.04 LTSでdebパッケージ、AlmaLinux OS 9でrpmパッケージをビルドする場合は、3-2節で紹介した手順でソフトウエアを導入していれば追加インストールの必要はありません。ソースアーカイブを展開してビルド設定を施した上で、次のコマンドをソースツリーのトップディレクトリーで実行すれば、debパッケージやrpmパッケージを生成できます[15]。

```
■Ubuntu 24.04 LTSの場合
$ make bindeb-pkg ⏎


■AlmaLinux OS 9の場合
$ make binrpm-pkg ⏎
```

debパッケージは、ソースツリーのトップディレクトリーのさらに一階層上のディレクトリーに、rpmパッケージは、rpmbuild/RPMS/x86_64ディレクトリー（64ビットのx86アーキテクチャー向けの場合）に作成されます。

---

[15]　2024年6月時点では、モジュールを圧縮するビルド設定にしている場合、Ubuntu 24.04 LTS環境でdebパッケージの生成に失敗します。「CONFIG_MODULE_COMPRESS_NONE=y」などのビルド設定にしてから、パッケージの生成を始めてください。

これらのパッケージを使ってカーネルをインストールする手順を、バージョン6.6.32のカーネルのパッケージを作成した場合を例に紹介します。Ubuntu 24.04 LTSとAlmaLinux OS 9では、パッケージがあるディレクトリーで、それぞれ次のコマンドを実行します。

```
■Ubuntu 24.04 LTSの場合
$ sudo dpkg -i linux-image-6.6.32_6.6.32-1_amd64.deb ⏎

■AlmaLinux OS 9の場合
$ sudo rpm -i kernel-6.6.32-1.x86_64.rpm ⏎
```

　ヘッダーファイルのパッケージ（ファイル名に「headers」を含むパッケージ）も同様の手順でインストールできます。

　なお、ソースパッケージを作成するためのターゲット「srcdeb-pkg」「srcrpm-pkg」や、ソースパッケージとバイナリーパッケージをまとめて作成するためのターゲット「deb-pkg」「rpm-pkg」も用意されています。ただしこれらのターゲットは、バージョン管理システム「Git」を通じて配布されるLinuxカーネルのソースコードを使っている場合にしか利用できません。

# 第4章

# タスクスケジューラの仕組み

本章では、Linuxカーネルのタスクスケジューラについて解説します。最初に、Linuxカーネルが過去にどのようなタスクスケジューラを採用してきたのかを紹介し、それから現在採用されている「EEVDF (Earliest Eligible Virtual Deadline First) スケジューラ」というタスクスケジューラの仕組みを説明します。また、タスクの種類に応じた異なるスケジューリングを実現する、スケジューリングポリシーについても触れます。

# 4-1 タスクスケジューラとは何か

第1章で紹介した通り、Linux カーネルは、CPUやCPUコアの数が一つであっても、複数のタスクを同時に稼働できます。これは、CPUで実行するタスクをカーネルが短い間隔で切り替えているからです。CPUやCPUコアの数が一つの場合、ある瞬間に稼働するタスクは一つなのですが、切り替え時間が短いために、あたかも複数のタスクが同時に稼働しているように感じられるわけです。

実行待ち状態のタスク群から、どのタスクをどのぐらいの期間、どのCPU（コア）で実行するかを管理するのが、カーネル内の「タスクスケジューラ」の役割です。

最も単純な仕組みのタスクスケジューラとしては、**図1**のような「ラウンドロビンスケジューリング」（Round-Robin Scheduling）をするものが考えられます。ラウンドロビンスケジューリングでは、実行待ち状態のタスクを待ち行列（キュー）に1列（線形）に並べておき、それらのタスクを一定時間（この時間を「タイムスライス」あるいは「（タイム）クオンタム」と呼びます）ごとに切り替えてCPUで実行します。そして、タイムスライスの間に終了しなかったタスクは、実行を中断してキューの末尾に移動させます。「ラウンドロビン」は、役割や機会を多くの人などで交代しあうことを意味する英単語です。

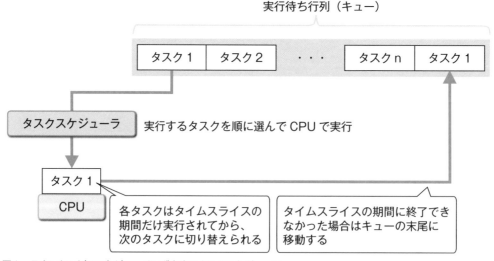

**図1　ラウンドロビンスケジューリングをするタスクスケジューラ**
実行待ち状態のタスクを線形の待ち行列に並べておき、それらのタスクを一定時間ごとに切り替えてCPUで実行します。

96

ラウンドロビンスケジューリングは、各タスクにタイムスライスを均等に割り当てるので、その側面からは公平なスケジューリングといえます。実装が単純で、スケジューリング動作が予測可能という利点があることから、組み込み機器用のOSなどでは現在も採用されることがあります[*1]。

しかしタスクの中には、科学技術計算タスクのようにCPUでの処理の割合が大きいものもあれば、対話型タスクのようにユーザーの入力待ち時間などが多く、CPUでの処理の割合が小さいものもあります。この両者に同じタイムスライスを割り当てた場合、前者はその期間中フルにCPUを使えますが、後者は実際には短い期間しかCPUを使えません。その側面からは非常に不公平なスケジューリングといえます。

また、シェルやエディタ、GUIインタフェースを備えたプログラムのような対話型のタスクは、ユーザーからの入力を素早く処理する必要があります。そうしないと、ユーザーが入力に対する応答性の悪さを体感してしまうからです。応答性を高めるには、CPUをフルに使うようなバッチ型タスクよりも長いタイムスライスを対話型のタスクに割り当てるといった工夫が必要になります。

さらに多くのOSでは、実行するタスクにユーザーが「実行優先度」を設定できます。そうしたOSのタスクスケジューラは、実行優先度を考慮したスケジューリングをする必要があります。単純なラウンドロビンスケジューリングでは、それは不可能です。

以下では、こうした課題をLinuxカーネルではどのように解決してきたのかについて解説します。

*1　現在のLinuxカーネルでも、この方式のタスクスケジューラは利用可能です。詳しくは後述します。

## 4-2　Linuxカーネルのタスクスケジューラの変遷

　初期のLinuxカーネルは、各タスクに割り当てるタイムスライスを**nice値**＊に応じて設定する**図2**のようなスケジューリング方式を採用していました。

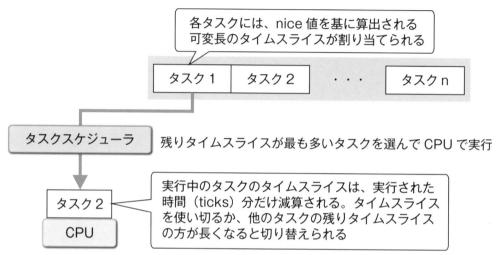

**図2　初期のLinuxカーネルのタスクスケジューラ**
各タスクに割り当てるタイムスライスをnice値に応じて設定し、残りタイムスライスが長いタスクを優先して実行します。

　この方式では、まず、各タスクのタイムスライスをnice値に基づいて算出した上で、タスクをキューに並べます。**tick**＊の周期で呼び出されるスケジューラは、キュー全体を順に探査して、実行中というフラグ（TASK_RUNNING）が設定されているタスクの中から、残りタイムスライスが最も多いものを選択して実行します。実行したタスクのタイムスライスは、次のtickの開始時に1ずつ減じられます。

　キュー内にタイムスライスが残っているTASK_RUNNINGフラグ付きタスクがなくなると、キュー内の全タスクのタイムスライスを**図3**のコードで再計算します。

```
while (1) {
    c = -1;
    next = 0;
    i = NR_TASKS;
```

```
        p = &task[NR_TASKS];
        while (--i) {
                if (!*--p)
                        continue;
                if ((*p)->state == TASK_RUNNING && (*p)->counter > c)
                        c = (*p)->counter, next = i;
        }
        if (c) break;
        for(p = &LAST_TASK ; p > &FIRST_TASK ; --p)
                if (*p)
                        (*p)->counter = ((*p)->counter >> 1) +
                                        (*p)->priority;
}
switch_to(next);
```

> counter変数に格納されるタイムスライスの残り時間を2分の1した値と、priority変数に格納される「nice値×-1」の値を足した数値を次のタイムスライスとして設定している

**図3　タイムスライスの再計算用のコード**
バージョン0.0.1のカーネルの「kernel/sched.c」ファイルから抜粋した中核部分のコードです。青枠で示した箇所がタイムスライス再計算用のコードになります。

　ユーザーの入力待ちやデバイスの入出力処理待ち中などで、タイムスライスが残った状態でTASK_RUNNINGフラグが外れたタスクの場合は、その残りタイムスライスの半分の値が再計算後のタイムスライスに加算されます。この処理によって、対話型タスクのタイムスライスを長くでき、応答性を高められます。

　このスケジューラは、Linuxカーネルがマルチプロセッサ対応を進めるにつれて改良されていきますが、基本的な仕組みはそのままに、2003年にバージョン2.6のカーネルが登場するまで長い間使われていました。

## O(1)スケジューラ

　前述のタスクスケジューラは、実行するタスクが少ない場合にはうまく動作していました。しかしタスク数が非常に多くなると、次に実行するタスクを選び出す処

【nice値】niceコマンドなどでタスクに設定できる実行優先度。-20～19の範囲で設定でき、値が小さいほど優先度が高いことを意味します。
【tick】計時やタスクスケジューリングなどの処理をカーネルで実施するために定期的に発生させるタイマー割り込みの間隔のことです。

理や、タイムスライスの再計算処理に時間がかかる問題がありました。どちらの処理でもキュー全体を線形探査する必要があるからです。

　そこで、実行優先度ごとにキューを分割することで、次に実行するタスクを選び出す処理を高速に実施できる「O(1)スケジューラ」（Order One Scheduler）と呼ばれるタスクスケジューラが開発されました（**図4**）。このタスクスケジューラは、2003年にリリースされたバージョン2.6.0から、2007年にリリースされたバージョン2.6.22のカーネルまで使われました。

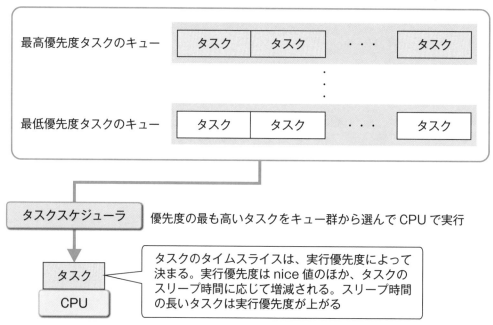

**図4　O(1)スケジューラ**
実行待ち状態のタスクを優先度別のキューに並べておき、それらのタスクを優先度順にCPUで実行します。タスクの優先度はスリープ時間に応じて変化します。

　O(1)スケジューラでは、タイムスライスの長さはタスクの実行優先度によって決まります。タスクの実行優先度は、nice値と、タスクの**スリープ時間**＊によって算出されます。具体的には、nice値が小さいほど、スリープ時間が長いほど実行優先度は高くなります。スリープ時間を考慮することで、対話型タスクのタイムスライスを長くでき、応答性を高められます。

## CFS（Completely Fair Scheduler）

　O(1)スケジューラはタスク数が非常に多い場合にもうまく動作するスケジューラ

でしたが、問題もありました。大きな問題は、対話型タスクに実行優先度ボーナスを与えるための処理がやや複雑で、しかも理論的というよりは経験的なものだったことです。

そこで、「各タスクが実際にCPUで実行される時間を均一にする」ことをポリシーに掲げる「CFS」（Completely Fair Scheduler）という新しいタスクスケジューラが開発されました（**図5**）。CFSは、2007年にリリースされたバージョン2.6.23から、2023年にリリースされたバージョン6.5までのカーネルで使われました。

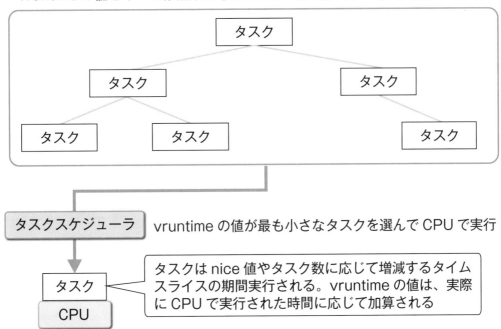

図5　CFS（Completely Fair Scheduler）
タスクが実際にCPUで実行された時間の累計を示すvruntimeという値を管理し、vruntimeの値が小さいタスクを優先的に実行します。また、タスクは赤黒木というデータ構造で管理します。

CFSでは、各タスクが実際にCPUで実行された時間をナノ秒単位で計測して、その累計に基づく「vruntime」（virtual run rime）という値を管理します[*2]。そして、

---

【スリープ時間】ここではタスクがCPUで実行されずに実行が待機あるいは中断されている状態だった時間を指します。
[*2]　vruntimeには、タスクが実際にCPUで実行された時間を、nice値に基づく「タスクの重み」（後述）で割った値が加算されていきます。これにより、nice値が小さい（実行優先度が高い）場合はvruntimeの増加が少なくなるよう、nice値が大きい場合は増加が大きくなるように調整されます。

vruntimeの値が小さいタスクを優先的に実行します。この「まだCPUであまり実行できていないタスクを優先する」というシンプルで分かりやすい方針によって、公平性と対話型タスクに対する配慮を同時に実現できます。また、各タスクのタイムスライスは、nice値に応じて増減させます。これによって、実行優先度の設定にも対応できます。

さらにCFSは、従来のスケジューラとは異なり、実行待ちのタスクを線形のキュー（あるいはキューの集合）ではなく、vruntimeの値をキーにして**赤黒木（あかくろぎ）** ＊というデータ構造で管理します。赤黒木には、特定のキーのノードを高速に検索できるという特徴があります。これを使うことで、vruntimeが最小のタスクを高速に見つけ出すことができ、スケジューリング処理のオーバーヘッドが少なくなります。

前述の通り、CFSでは各タスクに割り当てるタイムスライスが動的に変化します。タイムスライスは基本的に次の計算式で算出されます。

> タイムスライス ＝ レイテンシー × タスクの重み ÷ キュー内の実行可能タスクの重みの合計

レイテンシーとは、キュー内の実行可能なすべてのタスクが最低1度はスケジューリングされて実行されることが保証される期間のことです。CFSでは、システム設定値（デフォルト値は7ミリ秒）をCPU数に合わせて調整した値が設定されます[3]。また、タスクの重みは「1.25」という定数を「nice値×-1」で累乗することで算出されます。

これによって、nice値が小さいタスクほど（つまり実行優先度が高いタスクほど）長いタイムスライスが割り当てられます。また、キュー内のタスク数が多い場合は（つまりシステム負荷が高い場合は）、タイムスライスが全体的に短くなります。これによって、タスクの応答性が低下することを防いでいます[4]。

---

【赤黒木】データ構造の一種です。ノードの探索や挿入、削除といった処理を最悪の場合でもO(log n)と比較的少ない計算量（つまり所要時間）で実施できます。平衡二分木の一種です。
＊3　CPU数に基づく調整をしない設定も可能です。
＊4　タイムスライスが短くなりすぎると、スケジューリングのオーバーヘッドが大きくなって効率が悪くなるため、最小値が設定されていて、それ以下にはならないようになっています。

## 4-3　EEVDFスケジューラ

　CFSは、ほとんどの用途で十分な働きをするスケジューラで、Linuxの歴史において最も長く使われました。しかしCFSでは、うまく対応できないケースもあります。例えば、「割り当てられるタイムスライスは短くても構わないが、次にCPUが割り当てられるまでの待ち時間をできるだけ短くしてほしい」といった「遅延」（latency）に着目した調整をするのは困難でした[*5]。

　実行優先度を高く（nice値を小さく）すれば、長いタイムスライスが割り当てられるので、その期間内は遅延のない処理ができます（**図6**）。しかし、次にCPUが割り当てられるまでの待ち時間を調整する仕組みはありませんでした。

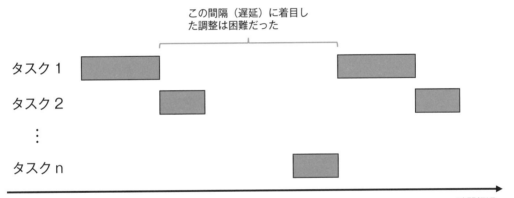

図6　CFSでは遅延に着目した調整が困難
CFSでは、タイムスライスの長さは調整できても、次にCPUを割り当てるまでの待ち時間を調整するのは困難でした。

　2023年10月にリリースされたバージョン6.6のLinuxカーネルからは、CFSの代わりに、この問題を解決できると期待されている「EEVDF（Earliest Eligible Virtual Deadline First）スケジューラ」が採用されています[*6]。このスケジューラは、CFSと同様にvruntimeに基づく処理をしますが、①キューにある実行可能なタ

----

＊5　後述するリアルタイムタスク向けのスケジューリングポリシーの一つ（SCHED_DEADLINE）を利用すれば、遅延を基準にした調整は可能です。

＊6　CFSを改良する形で導入されていて、2024年6月時点では、ソースコード内に「CFS」「cfs」などの記述が多数残されています。

スクから「適格」（eligible）なものを探す、②①を満たすタスクのうち「仮想期限」（virtual deadline）が最も早いものを実行する、という処理をする点が大きく異なります（**図7**）。この②によって、前述のような遅延に着目した調整が可能になります[7]。以下では、この二つの処理の概要を紹介します。

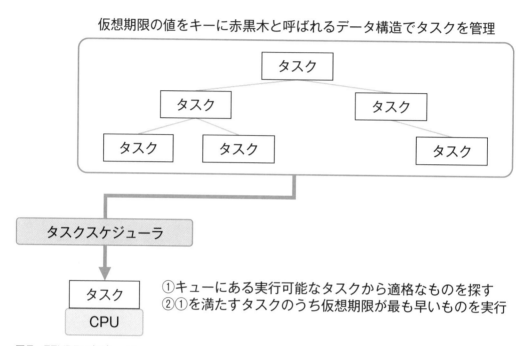

**仮想期限の値をキーに赤黒木と呼ばれるデータ構造でタスクを管理**

①キューにある実行可能なタスクから適格なものを探す
②①を満たすタスクのうち仮想期限が最も早いものを実行

**図7　EEVDFスケジューラ**
タスクに次回CPUを割り当てるまでの期限を示す「仮想期限」（virtual deadline）をキーに、タスクを赤黒木で管理します。

## ラグが「0」以上のタスクを適格と判定

　EEVDFスケジューラの①の処理は、「ラグ」（lag）という数値を基準に実施されます。ラグとは、ある期間における「タスクに配分されるべき（理想的な）CPU時間」から「実際にタスクが使用したCPU時間」を引いたものです。配分されるべきCPU時間よりも多くのCPU時間を使っていればラグは負の値に、配分されるべきCPU時間と同じか、少ないCPU時間を使っていればラグは「0」以上の値になります。

　例えば、実行優先度が同じA～Cの三つのタスクがあったとします。この場合、60秒の期間内にそれぞれに配分されるべきCPU時間は20秒です。実際に60秒が経過した時点で、タスクAが30秒、タスクBが20秒、タスクCが10秒のCPU時間を使ったとすると、ラグの数値は（秒単位ならば）順に「-10」「0」「10」となります（**表1**）。

表1　タスクのCPU時間とラグの例
簡単にするため、数値は秒を示しています。

| タスク | 配分されるべきCPU時間 | 実際に使用したCPU時間 | ラグ |
|---|---|---|---|
| A | 20 | 30 | -10 |
| B | 20 | 20 | 0 |
| C | 20 | 10 | 10 |

　ラグが負の値になるタスクは、CPU時間を理想よりも使いすぎていると考えられるので、続けて実行すべきではありません。EEVDFスケジューラは、そのようなタスクを不適格と判定して、次にCPUで実行するタスクの候補から除外します。

　タスクに配分されるべきCPU時間は、どのように算出するのでしょうか。Linuxカーネルのソースコード内のコメントにある数式を使って説明します。

　あるタスクiのラグを$lag_i$、配分されるべき理想的なCPU時間を$S$、実際にタスクiに配分されたCPU時間を$s_i$とすると、次の式が成り立ちます。

$$lag_i = S - s_i$$

　この式を、CFSでも利用していたvruntimeの値で表してみましょう。理想的なCPU時間が配分されて、それを使った時点のvruntimeを$V$、実際にCPU時間を使った時点のvruntimeを$v_i$、タスクiの重みを$w_i$とすると、先ほどの式は次のように変形できます。

$$lag_i = w_i \times (V - v_i)$$

　CFS解説の注釈文でも少し触れましたが、vruntimeはタスクの重みを考慮した増え方をします。具体的には、「実際にCPUを利用した時間」を「タスクの重み」で割った時間だけ増えていきます。そのため、vruntimeの差分に$w_i$をかけたものが、実時間の差分に相当します。

　理想的なスケジューラでは、ある期間におけるキュー内のタスクのラグの合計は「0」になります。つまり、次の式が成り立ちます。

$$\sum lag_i = \sum w_i \times (V - v_i) = 0$$

＊7　ただし、バージョン6.10までのLinuxカーネルには、そうした調整をするためのパラメータ（「latency-nice」などの名前のパラメータが提案されています）は導入されていません。

第4章　タスクスケジューラの仕組み

この式を変形することで、Vを求める式は**図8**のようになります。$v_0$はキュー内のタスクの最小のvruntime値です。これを用いる式にすることで、計算時のオーバーフローを生じにくくしています。キューのデータを保持するcfs_rq構造体には、この式に基づく計算をするための値を格納するメンバー変数が用意されています。EEVDFスケジューラは、これらのメンバー変数の値とタスクのvruntime値を使ってラグを算出し、各タスクが適格かどうかを判定しています。

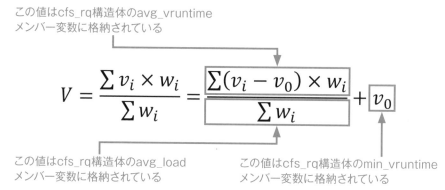

**図8　タスクのVを求める数式**
理想的なCPU時間が配分されて、それを使った時点のvruntime値（V）を求める数式。$v_0$の値は、cfs_rq構造体のmin_vruntimeメンバー変数に格納されています。

## 仮想期限が最も早いものを実行

　EEVDFスケジューラは、各タスクに仮想期限を設定します。仮想期限とは、「この時刻までにタスクに（次の）CPU時間を割り当てよ」ということを示すvruntimeベースの時刻情報です。そして、EEVDFスケジューラは、仮想期限が早いものを優先的にCPUで実行します[8]。

　仮想期限が早いタスクを高速に探せるように、EEVDFスケジューラは、仮想期限をキーとする赤黒木でタスクを管理します。vruntimeをキーとする赤黒木でタスクを管理していたCFSとは、この点でも大きく異なります。

　仮想期限は、基準となる時刻（仮想期限を設定する時点のvruntime値）に、ベースタイムスライス（sysctl_sched_base_slice変数の値）をタスクの重みで割って導かれるvruntime時間を足すことで算出されます。この処理をするupdate_deadline()関数のコードを抜粋して**図9**に示します。

```
static void update_deadline(struct cfs_rq *cfs_rq, struct sched_entity *se)
{
(略)

        /*
         * For EEVDF the virtual time slope is determined by w_i (iow.
         * nice) while the request time r_i is determined by
         * sysctl_sched_base_slice.
         */
        se->slice = sysctl_sched_base_slice;


        /*
         * EEVDF: vd_i = ve_i + r_i / w_i
         */
        se->deadline = se->vruntime + calc_delta_fair(se->slice, se);
(略)

}
(略)
```

> ベースタイムスライス（sysctl_sched_base_slice
> 変数の値）をタスクの重みで割る処理をしている

図9　仮想期限を算出する処理をするupdate_deadline()関数のコード
「kernel/sched/fair.c」ファイル中のコードを抜粋しています。

　なお、現在のベースタイムスライスは、カーネル内の情報にユーザー空間からアクセス可能にする「debugfs」と呼ばれる特殊なファイルシステムを利用することで調べられます。例えば、次のようにコマンドを実行するとよいでしょう※9。

```
$ sudo mkdir /debug ⏎
$ sudo mount -t debugfs none /debug ⏎
$ sudo cat /debug/sched/base_slice_ns ⏎
```

　ベースタイムスライスの数値は、ナノ秒単位で表示されます。

※8　EEVDFスケジューラは、厳密な応答期限を要求するリアルタイムタスク向けのものではありません。状況によっては、仮想期限内にタスクにCPUを割り当てられないこともあります。
※9　Ubuntu 24.04 LTSとAlmaLinux OS 9では、既定状態で/sys/kernel/debugディレクトリーにdebugfsがマウントされています。そのため、debugディレクトリーの作成やマウント作業は不要です。「/sys/kernel/debug/sched/base_slice_ns」ファイルの内容を調べてください。

# 4-4 スケジューリングポリシー

UNIX系OSの共通API規格では、タスクに「SCHED_FIFO」「SCHED_RR」「SCHED_OTHER」というスケジューリングポリシーを設定できます。Linuxもこれに対応しており、**表2**のような六つのスケジューリングポリシーを設定できます。

表2　Linuxで設定できるスケジューリングポリシー

| 名前 | 適用されるタスクの種類 | 説明 |
|---|---|---|
| SCHED_BATCH | 通常のタスク | 低い実行優先度でタスクをスケジューリングする |
| SCHED_IDLE | | 最も低い実行優先度でタスクをスケジューリングする |
| SCHED_OTHER | | ほとんどのタスクに適用される通常のスケジューリングポリシー |
| SCHED_DEADLINE | リアルタイムタスク | タスクの応答期限を設定できる |
| SCHED_FIFO | | 時分割処理をせずにキューにあるタスクを順に処理する |
| SCHED_RR | | ラウンドロビンスケジューリングをする |

このうち、SCHED_BATCH ／ SCHED_IDLE ／ SCHED_OTHERは、応答時間に関する要件がシビアではないタスク（通常のタスク）に適用されるスケジューリングポリシーです。それに対し、SCHED_DEADLINE ／ SCHED_FIFO ／ SCHED_RRは、一定時間内に応答することが期待される「リアルタイムタスク」に適用されるスケジューリングポリシーです。

Linuxカーネルのタスクスケジューラは、これらのスケジューリングポリシーに対応する処理や、その他の目的での処理をし分けるため、「スケジューリングクラス」と呼ばれる機能部品を複数備えています。バージョン6.6のLinuxカーネルが備えるスケジューリングクラスは、処理の優先度が高い順に「stopタスクスケジューリングクラス」「dl（deadline）スケジューリングクラス」「rt（real-time）スケジューリングクラス」「fairスケジューリングクラス」「idleスケジューリングクラス」の五つです（**図10**）。

図10　スケジューリングクラスの優先度とスケジューリングポリシーとの対応

　stopタスクスケジューリングクラスは、タスクを実行するCPUを変更する場合などに、カーネルが内部的に使うものです。

　dlスケジューリングクラスは、SCHED_DEADLINEスケジューリングポリシーのタスクを処理します。このポリシーでは、ユーザーがタスクに応答期限（deadline）を設定できます。カーネルは、その応答期限内にCPUが割り当てられるようにタスクをスケジューリングします。

　rtスケジューリングクラスは、SCHED_FIFO／SCHED_RRスケジューリングポリシーのタスクを処理します。この二つのスケジューリングポリシーのタスクには、nice値とは別の**静的実行優先度**\*を設定できます。カーネルは、それに応じて実行順序を決めます。

　SCHED_FIFOは、タイムスライスという考え方なしに（つまり、時分割処理をせずに）、キューにあるタスクを基本的に先着順に実行するスケジューリングポリシーです。一方、SCHED_RRは、4-1節で紹介したラウンドロビンスケジューリン

【静的実行優先度】1～99の範囲で設定できます。nice値とは異なり、値が大きいほど高い優先度を持ちます。

グをするポリシーです。

　fairスケジューリングクラスは、SCHED_BATCH ／ SCHED_IDLE ／ SCHED_
OTHERスケジューリングポリシーのタスクを処理します。4-3節で解説した
EEVDFスケジューラとは、このスケジューリングクラスのことです。

　SCHED_BATCHとSCHED_IDLEは、非常に低い実行優先度でタスクを実行する
ためのポリシーです。体感性能に影響を与えずに、バックアップなどの処理をバッ
クグラウンドで実施したい場合に使います。SCHED_BATCHタスクはSCHED_
OTHERタスクがすべて終了したとき、SCHED_IDLEタスクはほかのすべてのタス
クが終了したときに実行されます[*10]。

　SCHED_OTHERは、大部分のタスクに適用される通常のスケジューリングポリ
シーです。なお、カーネル内部では「SCHED_NORMAL」という名前で取り扱われ
ます。

　idleスケジューリングクラスは、実行するタスクがないときにCPUを低消費電力
状態に移行させる場合などに、カーネルが内部的に使うものです。

　カーネル内でスケジューリングポリシーの識別に使う定数は、図11に示す通り
「include/uapi/linux/sched.h」ファイルで定義されています[*11]。

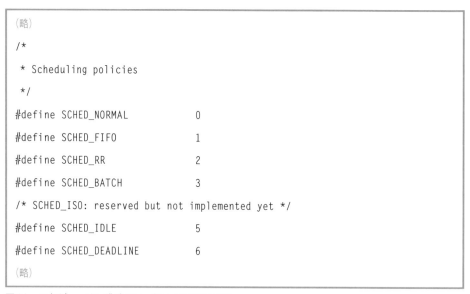

```
（略）
/*
 * Scheduling policies
 */
#define SCHED_NORMAL            0
#define SCHED_FIFO              1
#define SCHED_RR                2
#define SCHED_BATCH             3
/* SCHED_ISO: reserved but not implemented yet */
#define SCHED_IDLE              5
#define SCHED_DEADLINE          6
（略）
```

図11　スケジューリングポリシーを示す定数の定義
スケジューリングポリシーを示す定数は、「include/uapi/linux/sched.h」ファイルで定義されています。

特定のスケジューリングポリシーでタスクを実行するには、chrtコマンドを次の書式で実行します。

```
$ chrt オプション 静的実行優先度 タスク実行用のコマンド ⏎
```

オプションには**表3**のようなものが設定できます。なお、SCHED_BATCH／SCHED_DEADLINE／SCHED_IDLE／SCHED_OTHERのタスクは、静的実行優先度を「0」に設定しなければなりません。また、リアルタイムタスクを起動する場合は、管理者権限でchrtコマンドを実行する必要があります[12]。

表3　chrtコマンドのオプションと適用されるスケジューリングポリシーの対応

| オプション | 適用されるスケジューリングポリシー |
| --- | --- |
| -b | SCHED_BATCH |
| -d | SCHED_DEADLINE |
| -f | SCHED_FIFO |
| -i | SCHED_IDLE |
| -o | SCHED_OTHER |
| -r | SCHED_RR |

### SCHED_FIFOタスクの動作を確認

スケジューリングポリシーの違いによって、タスクの動作がどのように変わるのかを調べてみましょう。**図12**のプログラムを「test.c」ファイルに記述してから、次のコマンドを実行してビルドしてください[13]。このプログラムは、「引数に指定した文字列を表示してループで時間待ちをする」処理を繰り返すもので、CPUをずっと使います。

---

[10] ただし完全にこのように実装するとSCHED_IDLEタスクが実行されなくなる恐れがあるため、最低限度の実行機会は与えられます。

[11] 「/proc/タスクのプロセスID/sched」ファイル中の「policy」項目に表示される数値は、ここで定義されているスケジューリングポリシーを示す数値です。

[12] SCHED_DEADLINEタスクを起動する場合は、表3に挙げたオプションのほかのオプションも使ってパラメーターを設定する必要があります。詳しくはchrtコマンドのオンラインマニュアルを参照してください。

[13] この手順でプログラムをビルドするには、GCCやCライブラリのヘッダーファイルなどが必要です。第3章で紹介した手順でカーネルのビルド環境を整えていれば、ほかの準備作業は不要です。

```
$ gcc -O0 test.c -o test ⏎
```

```
#include <stdio.h>
#include <stdlib.h>
int main(int argc, char *argv[]) {
  if (argc != 2)  exit(1);
  while(1) {
    printf("%s\n", argv[1]);
    for(unsigned int i=0;i < 0xFFFFFFFF;i++) {}
  }
}
```

図12　「test.c」ファイルに記述するプログラム

　端末を二つ開き、一つめの端末で次のコマンドを実行します。特定のCPU（コア）でtestプログラムを実行するために、tasksetコマンドを使っています。chrtコマンドに「-f」オプションを指定しているので、testプログラムにはSCHED_FIFOスケジューリングポリシーが適用されます。

```
$ sudo taskset -c 0 chrt -f 1 ./test AAAAA ⏎
```

　すると、少しの間を空けながら「AAAAA」という表示が繰り返されます。
　続いて、二つめの端末で次のコマンドを実行します。

```
$ sudo taskset -c 0 chrt -f 1 ./test BBBBB ⏎
```

　ところが、実行直後こそ「BBBBB」と表示されることがありますが、その後はまったく表示されません。一つめの端末で実行したtestプログラムが実行され続けていて、処理が切り替わらないからです。一つめの端末のプログラムを終了させると、二つめの端末に「BBBBB」と表示され始めます。
　続いて、chrtコマンドのオプションを「-r」にして同じ実験をしてください。スケジューリングポリシーの違いを実感できるはずです。

## 第5章

# 仮想メモリーを実現する仕組み

第1章で、仮想メモリーを実現する仕組みの概要を紹介しました。本章では、64ビットのx86プロセッサを例に、仮想メモリーを実現する仕組みやプロセスに割り当てられる仮想メモリーの構成（メモリーマップ）などについて、最近のLinuxカーネルが備える機能を交えながらやや詳しく解説します。

　Linuxカーネルは、大部分のCPUアーキテクチャーにおいて、各CPUのMMU（メモリー管理ユニット）が備える仮想メモリー対応機能を素直に使って、仮想メモリーを実現しています。64ビットのx86プロセッサについてもそれが当てはまります。

　64ビットのx86プロセッサは、64ビットの数値でメモリーアドレス（以下、アドレス）を表現します。そのため、本来的には最大で$2^{64}$バイト、つまり16E（エクサ）バイトのメモリーを利用できます。しかし、64ビットのx86プロセッサの仕様が発表された2000年はもちろん、2024年時点においても、この広大なアドレス空間をフルに使うことは現実的には考えられません。アドレス空間が無駄に広いと、処理速度やメモリー利用効率、製造費用などの面で不利になります。そこで、利用できるアドレスの範囲に制限を設けています。

　64ビットのx86プロセッサでは、「リニアアドレス」「論理アドレス」「物理アドレス」の3種類のアドレスを利用できます。リニアアドレスとは、ページングによって実現される仮想メモリーに割り当てられるアドレスです。「仮想アドレス」と呼ばれることもあります。論理アドレスとは、セグメントという仕組みによって実現される仮想メモリーに割り当てられるアドレスです。（Linuxカーネルを含む）64ビットのプログラムではセグメントは実質的にほぼ使われないため、論理アドレスについては以後説明しません。物理アドレスとは、物理メモリーに割り当てられるアドレスです。

　このうち物理アドレスについては、2024年時点では52ビットに制限されています。つまり最大4P（ペタ）バイトの物理メモリーを利用できます[*1]。

　リニアアドレスの範囲は、ページングで利用するページテーブルの段数によって異なります。1-5節で説明した通り、単一のページテーブルではサイズが大きくなり過ぎるため、多くのCPUではページテーブルを複数段に分割しています。64ビットのx86プロセッサでは、ページテーブルの段数は基本的に4段で、一部のCPUのみ5段に設定可能です[*2]。4段だとリニアアドレスは48ビット、つまり仮想アドレス空間は256Tバイトになります。5段だとリニアアドレスは57ビット、つまり仮想アドレス空間は128Pバイトに拡張されます。

　リニアアドレスについては、いずれの場合も、有効部分の最上位ビットの内容を

それより上位のビットにコピーして使うルールになっています（**図1**）。ルールに沿わないリニアアドレスをレジスタに指定した場合などには、例外が発生します。

### 有効部分が48ビットのリニアアドレスの場合

48～63ビット目には47ビット目のデータをコピーする

### 有効部分が57ビットのリニアアドレスの場合

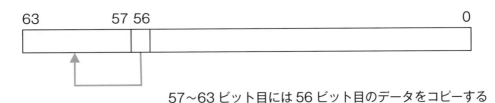

57～63ビット目には56ビット目のデータをコピーする

図1　64ビットのx86プロセッサのリニアアドレスにおけるルール

　これによって、48ビットのリニアアドレスの場合は、利用できるメモリー領域が「0000000000000000」～「00007FFFFFFFFFFF」の128Tバイトの領域と、「FFFF800000000000」～「FFFFFFFFFFFFFFFF」の128Tバイトの領域に限定されます（**図2**）。

---

＊1　これはアーキテクチャー上の制限です。実際のCPU製品では、さらに40～48ビット（1Tバイト～256Tバイト）に制限されています。
＊2　Ice Lake以降のマイクロアーキテクチャーのIntel社製CPUの一部、Zen4以降のマイクロアーキテクチャーのAMD社製のCPUの一部で設定可能です。

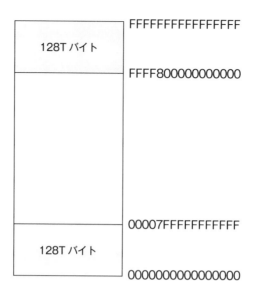

128T バイト　FFFFFFFFFFFFFFFF

FFFF800000000000

00007FFFFFFFFFFF

128T バイト　0000000000000000

**図2　48ビットのリニアアドレスで利用できる領域**
利用できるメモリー領域は「0000000000000000」〜「00007FFFFFFFFFFF」の128Tバイトの領域と、
「FFFF800000000000」〜「FFFFFFFFFFFFFFFF」の128Tバイトの領域です。

　57ビットのリニアアドレスの場合は、利用できるメモリー領域が「00000000000000
00」〜「00FFFFFFFFFFFFFF」の64Pバイトの領域と、「FF00000000000000」〜
「FFFFFFFFFFFFFFFF」の64Pバイトの領域に限定されます（**図3**）。

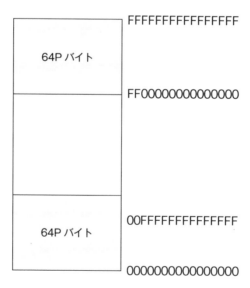

64P バイト　FFFFFFFFFFFFFFFF

FF00000000000000

00FFFFFFFFFFFFFF

64P バイト　0000000000000000

**図3　57ビットのリニアアドレスで利用できる領域**
利用できるメモリー領域は「0000000000000000」〜「00FFFFFFFFFFFFFF」の64Pバイトの領域と、
「FF00000000000000」〜「FFFFFFFFFFFFFFFF」の64Pバイトの領域です。

どちらも中央部分が空く形になっています。このようにしているのは、将来的にリニアアドレスが64ビットなどに拡大された場合に、OSやアプリケーションに大きな変更を加えなくて済むようにするためです（**図4**）。

### 中央部分を利用不可能領域にした場合

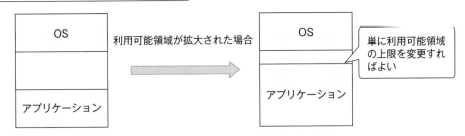

### 利用不可能領域を端に寄せた場合

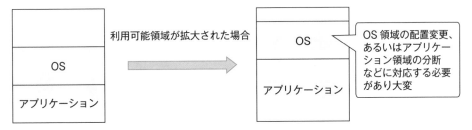

図4　中央部分を利用不可能領域にする理由

## 5-2 Linuxにおけるプロセスのメモリーマップ

　前述の通りLinuxカーネルは、64ビットのx86プロセッサの仮想メモリー対応機能を素直に使っています。

　各プロセスに対しては、リニアアドレスで表現される仮想メモリー空間をそのまま割り当て、分割された領域の前半をプロセス用（ユーザー用）、後半をカーネル用として利用します（**図5**）。前半部分には各プロセスで独立したデータを保持できますが、後半部分は全プロセスで共通のデータを保持することになります。

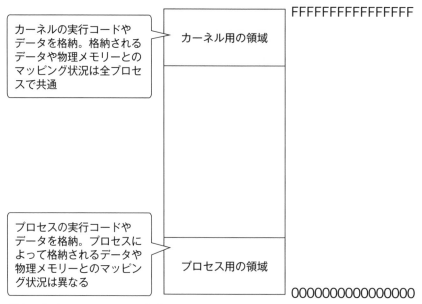

カーネルの実行コードやデータを格納。格納されるデータや物理メモリーとのマッピング状況は全プロセスで共通

FFFFFFFFFFFFFFFF

カーネル用の領域

プロセスの実行コードやデータを格納。プロセスによって格納されるデータや物理メモリーとのマッピング状況は異なる

プロセス用の領域

0000000000000000

**図5　プロセスのメモリーマップの概要**
利用可能領域の前半をプロセス用（ユーザー用）、後半をカーネル用として使用します。

　各プロセスの仮想メモリー空間にカーネル用の領域を割り当てるのは、処理速度向上のための工夫です。カーネル用の領域にはシステム管理上重要な情報が格納されますので、一部を除いてプロセスからはアクセスできないようになっています。

　なお、セキュリティを強化するために、最近のLinuxカーネルでは、動作がカーネルモードに切り替わったときだけカーネル用の領域を割り当てる「PTI」（Page Table Isolation）という仕組みを採用しています。PTIについては、第6章で解説します。

## 全物理メモリーをカーネル用の領域内にマッピング

カーネル用の領域内には、すべての物理メモリーをストレートにマッピングする領域があります（**図6**）。ここで言う「ストレートにマッピングする」とは、連続する物理アドレスの物理メモリーをそのまま連続する仮想アドレスのメモリー領域に対応付けるという意味です。そのため、物理メモリーをストレートにマッピングする領域の先頭（最下位）の仮想アドレスが例えばnという数値だとすると、物理アドレスがxの物理メモリーには、n+xという仮想アドレスでアクセスできます。

カーネル用の仮想メモリー領域

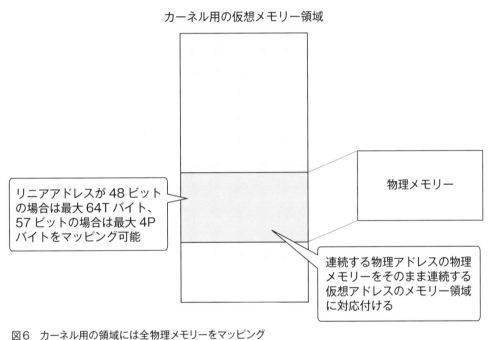

リニアアドレスが 48 ビットの場合は最大 64T バイト、57 ビットの場合は最大 4P バイトをマッピング可能

物理メモリー

連続する物理アドレスの物理メモリーをそのまま連続する仮想アドレスのメモリー領域に対応付ける

図6　カーネル用の領域には全物理メモリーをマッピング
カーネル用の領域内には、すべての物理メモリーをストレートにマッピングする領域があります。

すべての物理メモリーをカーネル用の領域にストレートにマッピングすることによって、物理メモリー管理処理を単純化できます。

リニアアドレスが57ビットの場合は、最大4Pバイトの物理メモリーをすべてそのままマッピングできるので問題ありません。しかし、リニアアドレスが48ビットの場合は、カーネル用の領域が128Tバイトしかありませんので、すべてをマッピングするのは不可能です。そこでLinuxカーネルでは、リニアアドレスが48ビットの場合は、利用できる物理メモリーの最大量を64Tバイト（物理アドレスの有効幅は46ビット）に制限しています。

物理メモリーの有効アドレス幅は、「arch/x86/include/asm/sparsemem.h」ファイルで定義されるMAX_PHYSMEM_BITSという定数で決まります（**図7**）。なお、バージョン5.8までのLinuxカーネルの同ファイルでは、MAX_PHYSADDR_BITSという定数も設定されていました。しかし、この定数は利用されていないことと、間違った値が設定されているという理由で、バージョン5.9以降では削除されています。

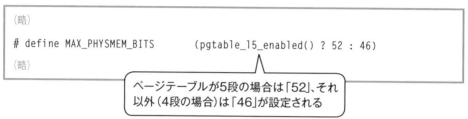

```
（略）
# define MAX_PHYSMEM_BITS        (pgtable_l5_enabled() ? 52 : 46)
（略）
```

ページテーブルが5段の場合は「52」、それ以外（4段の場合）は「46」が設定される

図7　物理メモリーの有効アドレス幅の定義

## プロセスのメモリーマップを確認する方法

　各プロセスの仮想アドレス空間がどのように利用されているのかを示す「メモリーマップ」情報の一部は、「/proc/プロセスID/maps」ファイルを調べると分かります。
　例えば、プロセスIDが「1」のプロセスのメモリーマップを調べた例が**図8**です。これで分かる通り、同ファイルでは、基本的にカーネル用の領域を除いた（ユーザー用の）メモリー領域の利用状況のみを調べられます[*3]。

```
$ sudo cat /proc/1/maps ⏎
5e6083a40000-5e6083a46000 r--p 00000000 08:02 5907563    /usr/lib/systemd/systemd
5e6083a46000-5e6083a51000 r-xp 00006000 08:02 5907563    /usr/lib/systemd/systemd
5e6083a51000-5e6083a57000 r--p 00011000 08:02 5907563    /usr/lib/systemd/systemd
5e6083a57000-5e6083a59000 r--p 00016000 08:02 5907563    /usr/lib/systemd/systemd
5e6083a59000-5e6083a5a000 rw-p 00018000 08:02 5907563    /usr/lib/systemd/systemd
5e6084a34000-5e6084dc1000 rw-p 00000000 00:00 0          [heap]
（略）
74d64b3bf000-74d64b3c2000 r--p 00000000 08:02 5909528    /usr/lib/x86_64-linux-gnu/libapparmor.so.1.17.1
74d64b3c2000-74d64b3cb000 r-xp 00003000 08:02 5909528    /usr/lib/x86_64-linux-gnu/libapparmor.so.1.17.1
74d64b3cb000-74d64b3d1000 r--p 0000c000 08:02 5909528    /usr/lib/x86_64-linux-gnu/libapparmor.so.1.17.1
74d64b3d1000-74d64b3d2000 r--p 00012000 08:02 5909528    /usr/lib/x86_64-linux-gnu/libapparmor.so.1.17.1
74d64b3d2000-74d64b3d3000 rw-p 00013000 08:02 5909528    /usr/lib/x86_64-linux-gnu/libapparmor.so.1.17.1
```

```
74d64b3e2000-74d64b3e4000 rw-p 00000000 00:00 0
74d64b3e4000-74d64b3e5000 r--p 00000000 08:02 5900697     /usr/lib/x86_64-linux-gnu/ld-linux-x86-64.so.2
74d64b3e5000-74d64b410000 r-xp 00001000 08:02 5900697     /usr/lib/x86_64-linux-gnu/ld-linux-x86-64.so.2
74d64b410000-74d64b41a000 r--p 0002c000 08:02 5900697     /usr/lib/x86_64-linux-gnu/ld-linux-x86-64.so.2
74d64b41a000-74d64b41c000 r--p 00036000 08:02 5900697     /usr/lib/x86_64-linux-gnu/ld-linux-x86-64.so.2
74d64b41c000-74d64b41e000 rw-p 00038000 08:02 5900697     /usr/lib/x86_64-linux-gnu/ld-linux-x86-64.so.2
7fffe2e75000-7fffe2e96000 rw-p 00000000 00:00 0           [stack]
7fffe2eea000-7fffe2eee000 r--p 00000000 00:00 0           [vvar]
7fffe2eee000-7fffe2ef0000 r-xp 00000000 00:00 0           [vdso]
ffffffffff600000-ffffffffff601000 --xp 00000000 00:00 0   [vsyscall]
```

　　　　　└──────┬──────┘　　　　　　　　　　　　　　└──────┬──────┘
　　　　　　　仮想アドレス範囲　　　　　　　　　　　　　　　　利用状況

図8　プロセスIDが「1」のプロセスのメモリーマップを調べた例
ユーザー空間のメモリー領域の利用状況を調べられます。

　ファイルの読み出しに使ったプロセス自身のメモリーマップを調べる場合には「/proc/self/maps」というファイルを利用できます。例えば、catコマンドを使って読み出した場合の結果は図9のようなものになります。

```
$ cat /proc/self/maps ⏎
618c26a95000-618c26a97000 r--p 00000000 08:02 5898829     /usr/bin/cat
618c26a97000-618c26a9c000 r-xp 00002000 08:02 5898829     /usr/bin/cat
618c26a9c000-618c26a9e000 r--p 00007000 08:02 5898829     /usr/bin/cat
618c26a9e000-618c26a9f000 r--p 00008000 08:02 5898829     /usr/bin/cat
618c26a9f000-618c26aa0000 rw-p 00009000 08:02 5898829     /usr/bin/cat
618c27e29000-618c27e4a000 rw-p 00000000 00:00 0           [heap]
7f1fa8edf000-7f1fa9000000 r--p 00000000 08:02 5918558     /usr/lib/locale/locale-archive
7f1fa9000000-7f1fa9028000 r--p 00000000 08:02 5900700     /usr/lib/x86_64-linux-gnu/libc.so.6
7f1fa9028000-7f1fa91b0000 r-xp 00028000 08:02 5900700     /usr/lib/x86_64-linux-gnu/libc.so.6
7f1fa91b0000-7f1fa91ff000 r--p 001b0000 08:02 5900700     /usr/lib/x86_64-linux-gnu/libc.so.6
7f1fa91ff000-7f1fa9203000 r--p 001fe000 08:02 5900700     /usr/lib/x86_64-linux-gnu/libc.so.6
7f1fa9203000-7f1fa9205000 rw-p 00202000 08:02 5900700     /usr/lib/x86_64-linux-gnu/libc.so.6
7f1fa9205000-7f1fa9212000 rw-p 00000000 00:00 0
7f1fa930b000-7f1fa9330000 rw-p 00000000 00:00 0
```

＊3　カーネル用の領域にある「vsyscall」領域の情報も調べられます。vsyscall領域は、システムコールの呼び出しを高速化する目的で利用されます。

```
7f1fa933f000-7f1fa9341000 rw-p 00000000 00:00 0

7f1fa9341000-7f1fa9342000 r--p 00000000 08:02 5900697          /usr/lib/x86_64-linux-gnu/ld-linux-x86-64.so.2

7f1fa9342000-7f1fa936d000 r-xp 00001000 08:02 5900697          /usr/lib/x86_64-linux-gnu/ld-linux-x86-64.so.2

7f1fa936d000-7f1fa9377000 r--p 0002c000 08:02 5900697          /usr/lib/x86_64-linux-gnu/ld-linux-x86-64.so.2

7f1fa9377000-7f1fa9379000 r--p 00036000 08:02 5900697          /usr/lib/x86_64-linux-gnu/ld-linux-x86-64.so.2

7f1fa9379000-7f1fa937b000 rw-p 00038000 08:02 5900697          /usr/lib/x86_64-linux-gnu/ld-linux-x86-64.so.2

7fff76504000-7fff76525000 rw-p 00000000 00:00 0               [stack]

7fff7657a000-7fff7657e000 r--p 00000000 00:00 0               [vvar]

7fff7657e000-7fff76580000 r-xp 00000000 00:00 0               [vdso]

ffffffffff600000-ffffffffff601000 --xp 00000000 00:00 0       [vsyscall]
```

**図9 catコマンドのプロセスのメモリーマップを調べた例**
「/proc/self/maps」というファイルを利用すると、同ファイルの読み出しに使ったプロセス自身のメモリーマップ
を調べられます。

　このほか、「/proc/プロセスID/pagemap」ファイルを通じて、仮想ページと物理
ページのマッピング状況を調べることもできます。このファイルは「CONFIG_
PROC_PAGE_MONITOR=y」という設定でビルドしたカーネルを利用している場
合に存在します。

　同ファイルはバイナリー形式のファイルで、データを分かりやすく読み取るには
別途ツールが必要です。カーネルのソースツリーの「tools/mm」ディレクトリーには、
同ファイルのデータを読み込んで分かりやすく表示する「page-types」コマンドの
ソースコードが用意されています。同コマンドは、tools/mmディレクトリーで
makeコマンドを実行するとビルドできます。

　page-typesコマンドで、例えばプロセスIDが「1」のプロセスのユーザー用の領
域の仮想ページと物理ページのマッピング状況を調べるには、次のようにコマンド
を実行します。

```
$ sudo ./page-types -p 1 -l ⏎
```

　実行すると図10のように、物理ページが割り当てられている仮想ページ領域の
「voffset」「offset」「len」「flags」の情報が表示されます。voffsetは仮想ページ領域
の先頭の仮想ページ番号、offsetは物理ページ領域の先頭のページフレーム番号*（物
理ページ番号）、lenは領域のサイズを示すページ数、flagsは領域に設定されている

各種フラグ情報です。

```
$ sudo ./page-types -p 1 -l ⏎

voffset          offset   len      flags
5555a3ac1        1ffffa3  1        __RU_1A__     M_____
5555a3ac2        1ffffdd  1        __RU_1A____   M_____
5555a3ac3        207ff4a  1        __RU_1A____   M_____
5555a3ac4        1ffffa9  1        __RU_1A____   M_____
(略)
7ffc3a920        1f40093  1        ___U_1A____   Ma_b_____
7ffc3a921        1f76cce  1        ___U_1A____   Ma_b_____
7ffc3a922        1ffffad  1        __RU_1A____   Ma_b_____
7ffc3a9f5        23d4     1        __R_____   M_____
(略)
```

図10　page-typesコマンドの実行例
物理ページが割り当てられている仮想ページ領域の「voffset」「offset」「len」「flags」の情報が表示されます。

フラグの意味については、コマンドの出力の末尾に表示されるサマリー情報の「long-symbolic-flags」項目（**図11**）を見ると分かります。各フラグの意味をもっと知りたい場合は、ソースツリーにある「Documentation/admin-guide/mm/pagemap.rst」という文書を読むとよいでしょう。

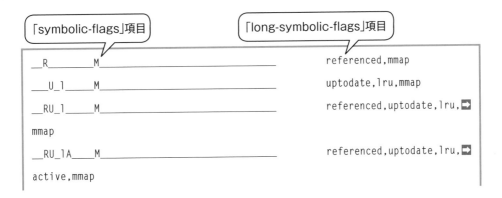

「symbolic-flags」項目

「long-symbolic-flags」項目

```
__R_____   M_____      referenced,mmap
___U_1_____   M_____      uptodate,lru,mmap
__RU_1_____   M_____      referenced,uptodate,lru,➡
mmap
__RU_1A____   M_____      referenced,uptodate,lru,➡
active,mmap
```

---

【ページフレーム番号】物理メモリーの構成単位のことを「ページフレーム」（あるいは単に「フレーム」）と呼びます。先頭のページフレームから付けた通し番号がページフレーム番号です。通常は、ページフレームと物理ページは同じと見なして構いません。

```
___U__A____Ma_b_____        uptodate,active,mmap,ano➡
nymous,swapbacked
___U_lA____Ma_b_____        uptodate,lru,active,mmap➡
,anonymous,swapbacked
__RU_lA____Ma_b_____        referenced,uptodate,lru,➡
active,mmap,anonymous,swapbacked
```

**図11　page-typesコマンドのflags項目の情報の意味**
コマンドの出力の末尾に表示されるサマリー情報の「long-symbolic-flags」項目を見ると分かります。

## カーネル用のメモリー領域の利用状況を調べる方法

　カーネル用のメモリー領域の利用状況を調べる場合は、「CONFIG_GENERIC_PTDUMP=y」「CONFIG_PTDUMP_CORE=y」「CONFIG_PTDUMP_DEBUGFS=y」という設定でカーネルをビルドします[*4]。この設定は、debugfsという特殊なファイルシステムを通じてカーネル用のメモリー領域のマッピング状況をユーザーに通知するためのものです。

　menuconfigターゲットなどでカーネルのビルド設定をする場合は、「Kernel hacking」セクションの「Memory Debugging」サブセクションにある「Export kernel pagetable layout to userspace via debugfs」という項目で設定できます。

　また、物理メモリーがストレートにマッピングされる領域の情報を得たい場合には、「CONFIG_RANDOMIZE_MEMORY」カーネル設定変数を記述しないか「CONFIG_RANDOMIZE_MEMORY=n」と設定してカーネルをビルドしてください。以降では、この設定でカーネルをビルドしたものとして、調査例を紹介します。

　ビルドしたカーネルでOSを起動し、次のような手順でdebugfsをマウントします[*5]。ここでは「/debug」というマウントポイントを新たに作成し、そこにdebugfsをマウントしていますが、マウントポイントは任意のディレクトリーで構いません。

```
$ sudo mkdir /debug ⏎
$ sudo mount -t debugfs none /debug ⏎
```

　マウント後、マウントポイントのディレクトリー（ここでは/debug）に管理者権限で移動すると、そこに「page_tables」というディレクトリーがあります。

page_tablesディレクトリー内に「kernel」というファイルがあります。このファイルにカーネル用のメモリー領域の利用状況の情報が格納されています（**図12**）。

```
$ sudo cat /debug/page_tables/kernel ⏎
---[ User Space ]---
0x0000000000000000-0xffff880000000000   16777096T                      pgd
---[ Kernel Space ]---
0xffff880000000000-0xffff888000000000   512G                           pgd
---[ LDT remap ]---
0xffff888000000000-0xffff888000001000    4K     RW           GLB NX pte
---[ Low Kernel Mapping ]---
0xffff888000001000-0xffff888000096000   596K    RW           GLB NX pte
0xffff888000096000-0xffff888000097000    4K     ro           GLB NX pte
（略）
0xffff888840000000-0xffff890000000000   479G                           pud
0xffff890000000000-0xffffc90000000000    64T                           pgd
---[ vmalloc() Area ]---
0xffffc90000000000-0xffffc90000004000    16K    RW           GLB NX pte
0xffffc90000004000-0xffffc90000006000     8K                        pte
（略）
---[ Vmemmap ]---
0xffffea0000000000-0xffffea0003800000    56M    RW      PSE  GLB NX pmd
0xffffea0003800000-0xffffea0004000000     8M                        pmd
（略）
---[ CPU entry Area ]---
0xfffffe0000000000-0xfffffe0000002000     8K    ro           GLB NX pte
0xfffffe0000002000-0xfffffe0000003000     4K    RW           GLB NX pte
（略）
---[ ESPfix Area ]---
```

＊4　これらの設定は「CONFIG_DEBUG_KERNEL=y」と設定した場合のみに可能です。

＊5　ディストリビューションによっては既にdebugfsがマウント済みのものもあります。その場合は新規のマウント作業は不要です。Ubuntu 24.04 LTSとAlmaLinux OS 9は「/sys/kernel/debug」にdebugfsをマウントしますので、そちらを参照してください。debugfsを複数のディレクトリーにマウントすることもできます。

```
Oxffffff0000000000-Oxffffff1800000000          96G                                  pud
Oxffffff1800000000-Oxffffff1800008000          32K                                  pte
(略)
---[ EFI Runtime Services ]---
Oxffffffef00000000-Oxffffffff80000000          66G                                  pud
---[ High Kernel Mapping ]---
Oxffffffff80000000-Oxffffffff81000000          16M                                  pmd
Oxffffffff81000000-Oxffffffff82200000          18M     ro         PSE      GLB  x   pmd
(略)
---[ Modules ]---
Oxffffffffa0000000-Oxffffffffa0035000          212K    ro                  GLB  x   pte
Oxffffffffa0035000-Oxffffffffa0036000          4K                                   pte
(略)
---[ End Modules ]---
Oxfffffffff000000-Oxfffffffff200000            2M                                   pmd
Oxfffffffff200000-Oxfffffffff57b000            3564K                                pte
---[ Fixmap Area ]---
Oxfffffffff57b000-Oxfffffffff5fa000            508K                                 pte
Oxfffffffff5fa000-Oxfffffffff5fd000            12K     RW PWT PCD          GLB NX  pte
Oxfffffffff5fd000-Oxfffffffff800000            2060K                                pte
Oxfffffffff800000-Ox0000000000000000           8M                                   pmd
```

**図12　カーネル用のメモリー領域の利用状況を調べた例**
「kernel」というファイルの内容を表示した例です。

　図12の参照例では、「Low Kernel Mapping」エリアの末尾に「0 x ffff890000000000」というアドレスから始まる64Tバイトの領域があることが分かります*6。ここに全物理メモリーがストレートにマッピングされます。つまり物理アドレスnの物理メモリーには、「FFFF890000000000＋n」という仮想アドレスでアクセスできます。

* 6　アドレスの冒頭の「0x」は16進数であることを示す表記です。

## 5-3 ページテーブルをたどって物理アドレスを算出

　前述した通り、64ビットのx86プロセッサでは、基本的に4段のページテーブルを使ってリニアアドレスと物理アドレスを対応付けます。ページテーブルは、ページサイズが4Kバイトの場合、具体的には**図13**のような構成になります。最上位のページテーブルである「PML4」（Page Map Level 4）テーブルの位置は、「cr3」というレジスタに格納する40ビットのページフレーム番号で指定します。

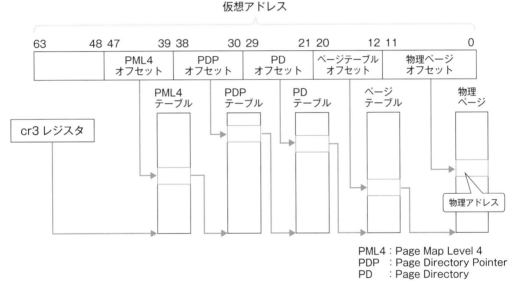

図13　4段の場合の64ビットのx86プロセッサのページテーブル
各ページテーブル内のエントリーは、次のページテーブル（または物理ページ）の先頭位置を示します。エントリーの位置は、仮想アドレスによって特定されます。

　リニアアドレスの最上位（48ビット目）から下方に9ビットずつ四つに区切った各データが、各ページテーブルのエントリーがある位置（ページテーブル先頭からのオフセット）を示します。各ページテーブルのエントリーには、次のページテーブル（もしくは物理ページ）の位置を示す40ビットのページフレーム番号が格納されます。リニアアドレスの最下位12ビットのデータは、物理ページの先頭からのオフセットを示します。

5段のページテーブルを使う場合は、**図14**のような構成になります。この場合、cr3レジスタに格納するページフレーム番号は、「PML5」（Page Map Level 5）テーブルの位置を示します。また、リニアアドレスの最上位（57ビット目）からの9ビット分のデータが、PML5テーブル内のエントリーのオフセット位置を示します。そのほかは4段のページテーブルの場合と同じです。

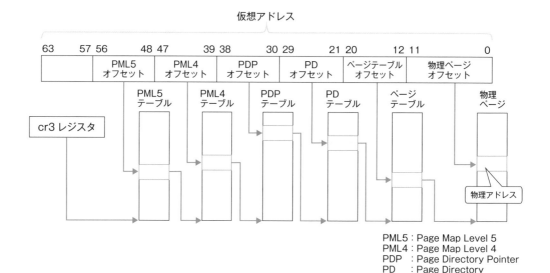

**図14　5段の場合の64ビットのx86プロセッサのページテーブル**
PML5という名前のテーブルが増え、cr3レジスタの値はそのテーブルの位置を示します。

## Linuxカーネルでのページテーブルの取り扱い

Linuxカーネルでは、これらのページテーブルを4段の場合は**図15**のように取り扱います。

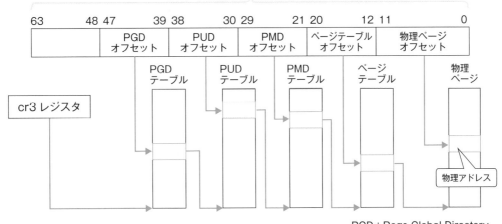

図15　4段の場合のLinuxカーネルにおけるページテーブル
P4Dというテーブルも存在しますが、実質的に使われていません。

一方、5段の場合は**図16**のように取り扱います。

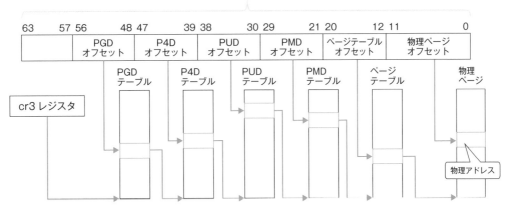

図16　5段の場合のLinuxカーネルのページテーブル
4段の場合とは異なり、P4Dという名前のテーブルが使われます。

ページテーブルの名前が違うことを除けば、基本的にはCPUの仕組みをそのまま利用していることが分かります。

「PGD」（Page Global Directory）テーブルの位置を示す情報は、各タスクの情報を格納するタスク構造体というデータ内にある、「mm->pgd＊7」というメンバー変数に格納されます。実行するタスクを切り替える場合は、このメンバー変数のデータをcr3レジスタにセットし、それによって仮想アドレス空間が切り替わります。

ただし、mm->pgdに格納されるのは、仮想アドレス（リニアアドレス）情報です。cr3レジスタに値をセットするときは、ページフレーム番号に変換する必要があります。

5段のページテーブルを利用するには、「CONFIG_X86_5LEVEL=y」という設定でカーネルをビルドする必要があります。さらにその上で、CPUが5段のページテーブルに対応していなければ、機能が有効になりません。CPUが5段のページテーブルに対応しているかどうかは、lscpuコマンドを実行すると分かります。CPUの機能を示す「フラグ:」項目に「la57」という文字列があれば対応しています。

## 仮想アドレスを物理アドレスに変換

特定のプロセスIDのプロセスの仮想アドレスを、ページテーブルをたどって物理アドレスに変換して表示する「pagetable」というモジュールを作成しました。

pagetableモジュールは、任意の作業ディレクトリーを用意し、その中に**図17**と**図18**で示す二つのファイルを作成してから、その作業ディレクトリーでmakeコマンドを実行するとビルドできます＊8。

```
KDIR=/lib/modules/$(shell uname -r)/build

obj-m += pagetable.o

all:
        make -C $(KDIR) M=$(PWD) modules

clean:
        make -C $(KDIR) M=$(PWD) clean
```

4行目と6行目の字下げは[Tab]キーを使う

図17 「pagetable」モジュールを作成するためのファイル（その1）
任意の作業ディレクトリーを用意し、その中にこの内容を持つ「Makefile」というファイルを作成します。

```c
#include <linux/kernel.h>

#include <linux/init.h>

#include <linux/module.h>

#include <linux/sched.h>

#include <linux/mm.h>


static unsigned int processid = 1;

module_param(processid, uint, 0);

static unsigned long addr = 0;

module_param(addr, ulong, 0);


static unsigned long get_pfndata(unsigned long entry) {

        entry &= 0x000FFFFFFFFFF000;

        return(entry >>= 12);

}

static int __init pagetable_init(void) {

        pgd_t *pgd;

        p4d_t *p4d;

        pud_t *pud;

        pmd_t *pmd;

        pte_t *pte;

        unsigned long paddr;

        struct pid *pid = find_get_pid(processid);

        struct task_struct *task = pid_task(pid, PIDTYPE_PID);

        struct mm_struct *mm = task->mm;

        if (pid == NULL) return 0;


        printk("mm->pgd   = %016lx\n", (unsigned long)mm->pgd);

        printk("CR3       = %010lx\n", get_pfndata(__pa(mm->pgd)));

        pgd = pgd_offset(mm, addr);
```

第5章 仮想メモリーを実現する仕組み

---

＊7　mm構造体のpgdメンバーを意味します。

＊8　モジュールをビルドするにはGCCやLinuxカーネルのヘッダーファイルなどが必要です。第3章で紹介した手順で
　　　カーネルのビルド環境を整え、カーネルをインストールしていれば、ほかの準備作業は不要です。

```
        if (pgd_none(*pgd) || pgd_bad(*pgd)) return 0;

        printk("PGD entry = %010lx\n", get_pfndata(pgd_val(*pgd)));


        p4d = p4d_offset(pgd, addr);

        if (p4d_none(*p4d) || p4d_bad(*p4d)) return 0;

        printk("P4D entry = %010lx\n", get_pfndata(p4d_val(*p4d)));


        pud = pud_offset(p4d, addr);

        if (pud_none(*pud) || pud_bad(*pud)) return 0;

        printk("PUD entry = %010lx\n", get_pfndata(pud_val(*pud)));


        pmd = pmd_offset(pud, addr);

        if (pmd_none(*pmd) || pmd_bad(*pmd)) return 0;

        printk("PMD entry = %010lx\n", get_pfndata(pmd_val(*pmd)));


        pte = pte_offset_kernel(pmd, addr);

        if (pte_none(*pte)) return 0;

        paddr = pte_val(*pte);

        printk("PTE entry = %010lx\n", get_pfndata(paddr));

        paddr = (paddr & 0x000FFFFFFFFFF000) | (addr & 0xFFF);

        printk("Phys addr = %016lx\n", paddr);

        return 0;

}

static void __exit pagetable_exit(void) {

}

module_init(pagetable_init);

module_exit(pagetable_exit);

MODULE_AUTHOR("SUEYASU Taizo");

MODULE_DESCRIPTION("pagetable test driver");

MODULE_LICENSE("GPL");

MODULE_PARM_DESC(processid, "PID (0 < processid < 2^22, default=1)");

MODULE_PARM_DESC(addr, "Virtual address, default=0");
```

図18 「pagetable」モジュールを作成するためのファイル（その2）
図17で作成した作業ディレクトリー内にこの内容を持つ「pagetable.c」というファイルを作成します。

ビルドしたpagetableモジュールは、次の手順でカーネルに組み込みます。

```
$ sudo insmod ./pagetable.ko processid=プロセスID addr=仮想アドレス ⏎
```

仮想アドレスを16進数で指定する場合は、先頭に「0x」という文字列を付加してください。カーネル用の領域の仮想アドレスについても調べられます。

モジュールの組み込み後、dmesgコマンドを実行してカーネルメッセージを表示させると、図19のような情報が表示されます。

```
$ sudo insmod ./pagetable.ko processid=1 addr=0xffff889ff87e4000 ⏎
$ sudo dmesg ⏎
(略)
[144347.038772] mm->pgd   = ffff889ff551f000
[144347.038774] CR3       = 0001ff551f
[144347.038776] PGD entry = 0000003001
[144347.038777] P4D entry = 0000003001
[144347.038778] PUD entry = 0001ff793e
[144347.038779] PMD entry = 0001fea2b0
[144347.038780] PTE entry = 0001ff87e4
[144347.038781] Phys addr = 0000001ff87e4000    物理アドレス
```

図19　pagetableモジュールによるアドレス変換の例
モジュールの組み込み後、dmesgコマンドを実行してカーネルメッセージを表示させると、仮想アドレスに対応する物理アドレスなどが分かります。

表示される情報は、「mm->pgd」に設定されている仮想アドレス、cr3レジスタに設定されているPGDテーブルのページフレーム番号、各ページテーブルのエントリーに設定されている次のページテーブル（あるいは物理ページ）のページフレーム番号、そして物理アドレスです。なお、物理ページが割り当てられていない仮想アドレスを指定した場合のように、ページテーブルエントリーが不完全なケースでは、途中までの情報しか表示されません[9]。また、4段のページテーブルを使って

---

[9]　すべての物理メモリーをストレートマップしている領域のように、4Kバイトよりも大きなページサイズでアドレス変換をしている領域でも正しい情報は表示されません。

いる環境で実行した場合は、PGDテーブルのエントリーとP4Dテーブルのエント
リーは同じ値になります。

　別の仮想アドレスについても調べる場合は、次のコマンドを実行して、一度カー
ネルモジュールを取り外してください。

```
$ sudo rmmod pagetable ⏎
```

# 第6章

# コンテキスト
# スイッチの仕組み

　タスクスケジューラが実行するタスクを切り替える際には、タスクの実行状態（実行コンテキスト）を保存したり復元したりする「コンテキストスイッチ」と呼ばれる処理が発生します。本章では、コンテキストスイッチで実際にどのような処理が行われているのかについて解説します。また、ユーザーモードとカーネルモードの切り替えについても触れます。

## 6-1 コンテキストスイッチとは何か

第4章で紹介した通り、タスクスケジューラはタスクを次々と切り替えながら実行します。タスクスケジューラが実行するタスクを切り替える際には、タスクの実行状態（実行コンテキスト）を保存したり復元したりする「コンテキストスイッチ」と呼ばれる処理が発生します。

現在のタスクの実行を中断し、過去に実行を中断していたタスクを再実行するケースを考えてみましょう。その場合には、現在のタスクの実行コンテキストをどこかに保存した上で、再実行するタスクの実行コンテキストを復元する作業をしなければなりません。

実行コンテキストという言葉には、視点によってさまざまな捉え方があります。CPUのレベルで考えると、実行コンテキストは「タスク実行時のCPUのレジスタの状態」のことだといえます（**図1**）。

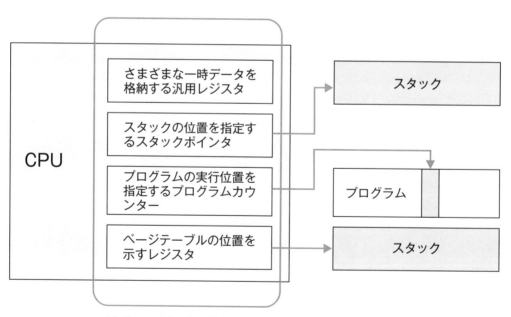

これらのレジスタの情報を保存しておけば、それを
復元することでタスクの実行を再開できる

**図1　実行コンテキストはCPUのレベルで見るとレジスタの状態**
実行コンテキストには、視点によってさまざまな意味があり、CPUのレベルにおいては「タスク実行時のCPUのレジスタの状態」を指します。

例えば、第5章で紹介した通り、タスクに割り当てる仮想メモリーはcr3レジスタの値によって切り替えられます。つまり、コンテキストスイッチ処理の一つとしてcr3レジスタの値の保存や復元をすれば、仮想メモリー空間という実行コンテキストを切り替えられるわけです。

　レジスタデータの保存先としては、タスクの管理データ領域（タスク構造体）や、スタックなどのメモリー領域が考えられます。

　スタックとは、先入れ後出し（First-In, Last-Out）方式でデータを格納するメモリー領域です。64ビットのx86プロセッサでは、rbpレジスタがスタックの「底」となるベースアドレスを、rspレジスタがスタックの「頭」となるトップアドレスを指し示します（**図2**）。

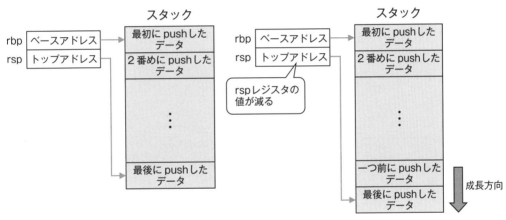

図2　64ビットのx86プロセッサのスタック
rbpレジスタがスタックのベースアドレス、rspレジスタがスタックのトップアドレスを指し示します

　スタックにデータを格納する操作のことをプッシュ（push）、スタックからデータを取り出す操作のことをポップ（pop）と呼びます。64ビットのx86プロセッサでは、64ビットデータをプッシュするpushq命令、64ビットデータをポップするpopq命令などを利用できます。

　スタックにデータをプッシュすると、スタックが成長します（長さが伸びます）。スタックの成長方向は、CPUの種類によって異なります。x86プロセッサを含む多くのCPUは、アドレスが減る方向に成長する方式を採用しています。

実際にLinuxカーネルのコンテキストスイッチ処理を追いかけてみましょう。

タスクの切り替え処理は、「kernel/sched/core.c」ファイルで定義されている __schedule()関数を起点に実施されます（**図3**）。この関数では、pick_next_task()関数で次に実行するタスクを選択し、そのタスクと現在のタスクの実行コンテキストをcontext_switch()関数で切り替えます。

```c
static void __sched notrace __schedule(unsigned int sched_mode)
{
        struct task_struct *prev, *next;
        unsigned long *switch_count;
        unsigned long prev_state;
        struct rq_flags rf;
        struct rq *rq;
        int cpu;
(略)
        next = pick_next_task(rq, prev, &rf);     ← ここで次に実行する
                                                     タスクを選択
(略)
        if (likely(prev != next)) {               ← コンテキストスイッチ
(略)                                                 用の関数を呼び出す

                rq = context_switch(rq, prev, next, &rf);
        } else {
                rq_unpin_lock(rq, &rf);
                __balance_callbacks(rq);
                raw_spin_rq_unlock_irq(rq);
        }
}
```

図3　タスク切り替え処理の起点となる __schedule()関数のコード（抜粋）
同関数は「kernel/sched/core.c」ファイルで定義されます。

context_switch()関数も __schedule()関数と同じファイルで定義されています（**図**

4）。この関数では、まず仮想メモリー空間の切り替えが必要かどうかを調べて、通常のプロセス同士を切り替える場合のように仮想メモリー空間の切り替えが必要な場合には、switch_mm_irqs_off()関数を実行して、新しく実行するタスクのメモリーディスクリプター[*1]内にある「pgd[*2]」というメンバー変数の値をcr3レジスタにセットします。これによって仮想メモリー空間が切り替えられます。

```
context_switch(struct rq *rq, struct task_struct *prev,
               struct task_struct *next, struct rq_flags *rf)
{
(略)

        if (!next->mm) {                              // to kernel
(略)

                next->active_mm = prev->active_mm;
                if (prev->mm)                         // from user
                        mmgrab_lazy_tlb(prev->active_mm);
                else
                        prev->active_mm = NULL;
        } else {                                      // to user
(略)

                switch_mm_irqs_off(prev->active_mm, next->mm, next);

                if (!prev->mm) {                      // from kernel
                        /* will mmdrop_lazy_tlb() in finish_task_switch(). */
                        rq->prev_mm = prev->active_mm;
                        prev->active_mm = NULL;
                }
        }
(略)

        switch_to(prev, next, prev);
        barrier();
```

> ここで次に実行するタスクのPGDテーブルを指示するデータをcr3レジスタにセット

> switch_to() 関数を呼び出す

---

＊1　ここでは、タスクの管理用データであるタスク構造体に格納されているmm構造体のデータのことを指します。
＊2　第5章で紹介した「mm->pgd」と同じものです。

```
        return finish_task_switch(prev);

}
```

**図4　context_switch()関数のコード（抜粋）**
同関数も「kernel/sched/core.c」ファイルで定義されます。

　なお、カーネルスレッドのようにカーネルモード（後述）で動作するタスクに動作を切り替える場合には、仮想メモリー空間の切り替えは不要です。そのため、そうした場合にはswitch_mm_irqs_off()関数は実行されません。

　cr3レジスタ以外のレジスタについては、switch_to()関数を呼び出して処理します。

　switch_to()関数の実体は「arch/x86/include/asm/switch_to.h」ファイルで定義されるマクロです（図5）。実際には「arch/x86/entry/entry_64.S」ファイルで定義される__switch_to_asm()関数が呼び出されます。

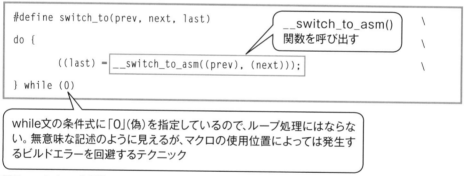

**図5　switch_to()関数のコード**
同関数の実体はマクロです。このマクロは「arch/x86/include/asm/switch_to.h」ファイルで定義されます。

## __switch_to_asm()関数の処理

　__switch_to_asm()関数の定義部分の主なコードは**図6**の通りです。アセンブリ言語で書かれているので少し分かりづらいですが、やっていることは単純です。

　まずpushq命令で「rbp」「rbx」「r12」「r13」「r14」「r15」の各レジスタにある64ビットデータを、rspレジスタが指し示す、現在のタスク用のスタックに保存します。

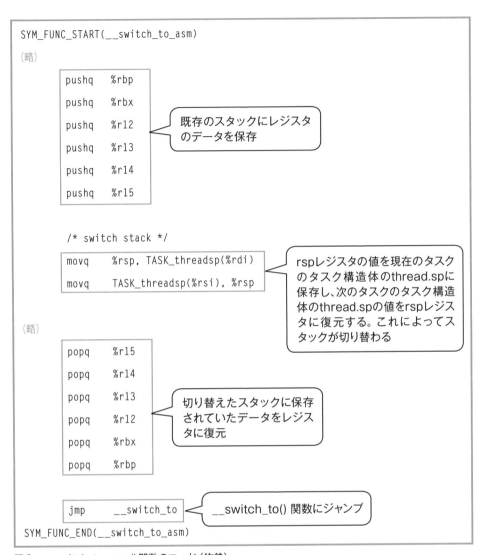

```
SYM_FUNC_START(__switch_to_asm)
(略)
        pushq   %rbp
        pushq   %rbx
        pushq   %r12          既存のスタックにレジスタ
        pushq   %r13          のデータを保存
        pushq   %r14
        pushq   %r15


        /* switch stack */
        movq    %rsp, TASK_threadsp(%rdi)       rspレジスタの値を現在のタスク
        movq    TASK_threadsp(%rsi), %rsp       のタスク構造体のthread.spに
                                                保存し、次のタスクのタスク構造
(略)                                            体のthread.spの値をrspレジス
                                                タに復元する。これによってス
                                                タックが切り替わる
        popq    %r15
        popq    %r14
        popq    %r13
        popq    %r12          切り替えたスタックに保存
        popq    %rbx          されていたデータをレジス
        popq    %rbp          タに復元


        jmp     __switch_to        __switch_to() 関数にジャンプ
SYM_FUNC_END(__switch_to_asm)
```

図6　__switch_to_asm()関数のコード（抜粋）
同関数は「arch/x86/entry/entry_64.S」ファイルで定義されます。

　次にrspレジスタの64ビットデータを、movq命令で「TASK_threadsp(%rdi)」
が指し示すメモリー位置にコピーしています。rdiレジスタには、関数の1番目の引
数がセットされます。つまりここでは、これまで実行していたタスクのタスク構造
体のアドレスがセットされています。TASK_threadspという文字列は、タスク構造
体内にある「thread.sp」というメンバー変数のオフセット位置を示すものです[3]。

---

[3]　「arch/x86/kernel/asm-offsets.c」ファイルで定義されています。実際のオフセット値はカーネルビルド時に生
　　成される「arch/x86/kernel/asm-offsets.s」ファイルを見ると分かります。

これはつまり、スタック位置を指し示すrspレジスタの内容を、これまで実行していたタスク用のタスク構造体内の「thread.sp」というメンバー変数に退避させるためのコードです。

　そして次のmovq命令では、「TASK_threadsp(%rsi)」が指し示すメモリー位置にある64ビットデータをrspレジスタにコピーしています。rsiレジスタには、関数の2番目の引数がセットされます。つまりここでは、新たに実行するタスクのタスク構造体のアドレスがセットされています。そのためこれは、新たに実行するタスク用のタスク構造体内の「thread.sp」というメンバー変数の値を、rspレジスタにセットするコードになります。

　ここまでの処理でスタックが切り替わりました。切り替えたスタックには、過去に保存したレジスタのデータが格納されています。続くpopq命令では、スタックに保存されていた64ビットデータを「rbp」「rbx」「r12」「r13」「r14」「r15」レジスタに復元させています。

　最後に、jmpという**ジャンプ命令**＊で__switch_to()関数に移動しています。後述するように、関数の呼び出しではなく、ジャンプ命令を使って移動している点がここではポイントになります。

### __switch_to()関数からの復帰で新タスクが実行

　__switch_to()関数は「arch/x86/kernel/process_64.c」ファイルで定義されています（**図7**）。この関数では、セグメント＊4に関するレジスタや浮動小数点演算ユニット（FPU）のレジスタのデータの保存や復元などの処理を実施しています。

```
_visible __notrace_funcgraph struct task_struct *
__switch_to(struct task_struct *prev_p, struct task_struct *next_p)
{
(略)

        if (!test_thread_flag(TIF_NEED_FPU_LOAD))
                switch_fpu_prepare(prev_fpu, cpu);     ← FPUレジスタのデータ
                                                          を保存
(略)

        save_fsgs(prev_p);     ← セグメントレジスタ「fs」
                                  「gs」のデータを保存
(略)
```

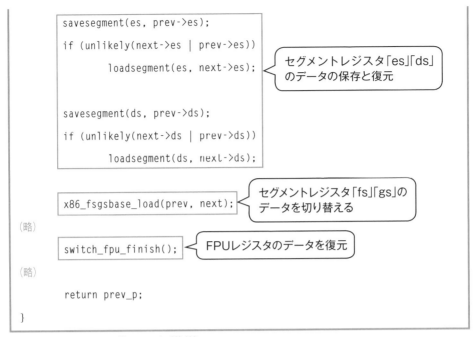

```
        savesegment(es, prev->es);

        if (unlikely(next->es | prev->es))

                loadsegment(es, next->es);



        savesegment(ds, prev->ds);

        if (unlikely(next->ds | prev->ds))

                loadsegment(ds, next->ds);



        x86_fsgsbase_load(prev, next);

(略)

        switch_fpu_finish();

(略)

        return prev_p;

}
```

セグメントレジスタ「es」「ds」のデータの保存と復元

セグメントレジスタ「fs」「gs」のデータを切り替える

FPUレジスタのデータを復元

**図7　__switch_to()関数のコード（抜粋）**
同関数は「arch/x86/kernel/process_64.c」ファイルで定義されます。

　ここではこの関数の処理内容について細かくは説明しません。押さえておくべきポイントは、この関数の終了後に何が起きるのかについてです。

　それを知るには、二つの事柄を理解する必要があります。

　一つめは、__switch_to()関数は通常の呼び出し方法ではなく、ジャンプ命令を使って実行されていることです。通常の関数呼び出しでは、関数の実行終了後にどの位置からプログラムの実行を再開するかを示す「戻りアドレス」をスタックに格納しておき、関数の実行終了時にそれを取り出して復帰します。しかし前述の通り、__switch_to()関数はジャンプ命令で実行されているので、スタックにある戻りアドレスは、その前の__switch_to_asm()関数を呼び出した際の戻りアドレスになります。つまり、switch_to()関数内から処理が再開するわけです[*5]。

　もう一つの理解しておくべき事柄は、ここまでにスタックの切り替えを含めたコ

---

【ジャンプ命令】CPUはアドレスの順にコードを実行しますが、それを指定した場所から実行するように変更する命令。
＊4　第5章で紹介した通り、セグメントは仮想メモリーを実現する目的では使われていませんが、セキュリティ確保など他の目的では使われていますので、こうした処理が必要になります。
＊5　switch_to()関数はすぐに終了するので、実質的にはcontext_switch()関数内から処理が再開されます。

ンテキストスイッチ処理が終了していることです。そのため、__switch_to()関数が終了したあとは、新しく実行するタスクが過去にスタックに保存した戻りアドレスから処理が継続することになります[*6]。またその時点で、CPUで実行されるタスクが切り替わることになります。

　__switch_to()関数の終了時にタスクが切り替わるまでの処理の流れを、タスクAからタスクBに切り替える場合を例に**図8**にまとめました。

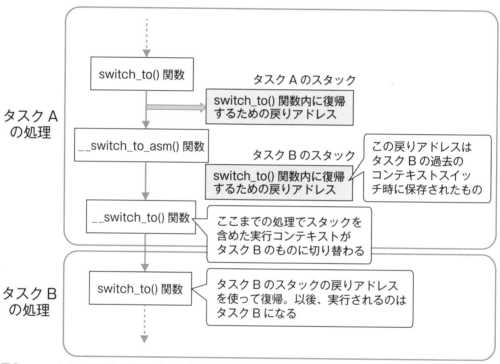

図8　__switch_to()関数の終了時にタスクが切り替わる
タスクAからタスクBに切り替える場合の処理の流れを単純化して示しています。

　なお、厳密には切り替えの前後で実行されるのはユーザーモードで実行されるタスクAやタスクBそのもののコードではなく、各タスクに対応するカーネル内コードですが、単純化してこのように表現しています。

---

[*6]　通常はswitch_to()関数内から処理が継続します。しかし、生成された直後で初めてスケジュールされるタスクの場合は、別の場所（ret_from_fork()関数）から処理が継続します。

実際にレジスタのデータの保存や復元の処理がうまくいっていることを、ソースコードと対応付けながらLinuxカーネルを実行して確かめてみましょう。具体的には、「QEMU」というPCエミュレーターソフトの上でLinuxカーネルとシェルなどのタスクを動作させて、そのLinuxカーネルの動作を「GDB」（GNU Debugger）というデバッガーソフトで調べてみることにします。

### カーネルデバッグ用の環境の準備手順

まず、QEMUとGDB、そしてシェルや基本コマンドの準備を簡単にする「BusyBox」というソフトウエアを導入します。Ubuntu 24.04 LTSでは、次のコマンドを実行してください。

```
$ sudo apt install qemu-system-x86 gdb busybox-static ⏎
```

AlmaLinux OS 9では、次のコマンドを実行してください。

```
$ sudo dnf install elrepo-release ⏎
$ sudo dnf install qemu-kvm gdb busybox ⏎
$ sudo ln -s /usr/libexec/qemu-kvm /usr/bin/qemu-system-x86_64 ⏎
```

続いて、適当な作業ディレクトリーを作成し、そこに移動してから次のコマンドを実行します。これによって、ホームディレクトリーに「initramfs.img」という初期化用ディスクイメージが作成されます。

```
$ mkdir bin dev proc sbin sys ⏎
$ cp $(which busybox) bin ⏎
$ cd bin ⏎
$ ln -s busybox sh ⏎
$ ln -s busybox mount ⏎
```

```
$ cd ../sbin ⏎
$ cat <<EOF >init ⏎
> #!/bin/sh ⏎
> mount -t proc none /proc ⏎
> mount -t sysfs none /sys ⏎
> exec /bin/sh ⏎
> EOF ⏎
$ chmod +x init ⏎
$ cd ../dev ⏎
$ sudo mknod console c 5 1 ⏎
$ sudo mknod null c 1 3 ⏎
$ cd .. ⏎
$ find . | cpio -o -H newc | gzip > ~/initramfs.img ⏎
```

続いて、QEMU上で動作させるLinuxカーネルをビルドします。ビルド手順は基本的に第3章で紹介したものと同じですが、「CONFIG_DEBUG_KERNEL=y」「CONFIG_DEBUG_INFO_DWARF_TOOLCHAIN_DEFAULT=y」「CONFIG_RELOCATABLE=n」と設定するようにします。これらの設定をすることで、ソースコードと対応付けた動作調査ができるようになります。

menuconfigターゲットなどを使ってビルド設定をする場合、CONFIG_DEBUG_KERNEL設定変数は「Kernel hacking」セクションの「Kernel debugging」項目、CONFIG_DEBUG_INFO_DWARF_TOOLCHAIN_DEFAULT設定変数は同セクションにある「Compile-time checks and compiler options」-「Debug information」サブセクションの「Rely on the toolchain's implicit default DWARF version」項目、CONFIG_RELOCATABLE設定変数は「Processor type and features」セクションの「Build a relocatable kernel」項目で値を変更できます*7。

ほかのカーネル機能については、必要なものはモジュール化するのではなく、カーネルに組み込むように設定してください。本書で実施するテスト用であれば、defconfigターゲットでデフォルト設定にしてから、menuconfigターゲットなどで前述の設定を施せば、十分な設定ができます。

設定後、カーネルをビルドします。ビルドだけでモジュールのインストールやカー

ネルのインストール作業は不要です。

## GDB用の設定ファイルの準備

　カーネルのビルド後、ソースツリーのトップディレクトリーに**図9**の内容を持つ「gdbcom」という名前のファイルを作成します＊8。これはGDBで実行するコマンドをまとめたスクリプトファイルです。

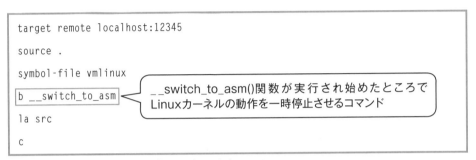

```
target remote localhost:12345

source .

symbol-file vmlinux

b __switch_to_asm

la src

c
```
＿＿switch_to_asm()関数が実行され始めたところでLinuxカーネルの動作を一時停止させるコマンド

**図9　作成するGDB用のスクリプトファイルの内容**
ソースツリーのトップディレクトリーに「gdbcom」という名前で上記のファイルを作成します。

　ポイントは「b」コマンドで指定している文字列です。「b」は「break」の略で、調査対象のプログラムの実行を一時停止させる場所（ブレークポイント）を指定するのに使うコマンドです。ここでは「__switch_to_asm」という文字列を指定しています。これによって、__switch_to_asm()関数が実行され始めたところでQEMU上のLinuxカーネルの動作が一時停止します。

## Linuxカーネルとの GDBの起動手順

　準備ができたら、ソースツリーのトップディレクトリーで次のコマンドを実行してQEMU上でLinuxカーネルを動かします。

```
$ qemu-system-x86_64 -kernel arch/x86_64/boot/bzImage -initrd ~/ini
tramfs.img -append "console=ttyS0 rdinit=/sbin/init" -nographic -gd
b tcp::12345 -S ⏎
```

＊7　「Build a relocatable kernel」項目は、先に同じセクションにある「EFI runtime service support」項目を無効化しないと、無効化できません。
＊8　ファイルの名前は自由に付けて構いません。変更した場合は、gdbコマンドに指定するものも変更します。

続いて、別の端末エミュレーターなどを開いて、ソースツリーのトップディレクトリーに移動してください。そこで次のコマンドを実行するとGDBが起動します。

```
$ gdb -x gdbcom ⏎
```

　GDBが起動して**図10**のように表示されればOKです（起動後、［Enter］キーを押すと表示される場合もあります）。表示されない場合は、これまでの手順を見直してみてください。

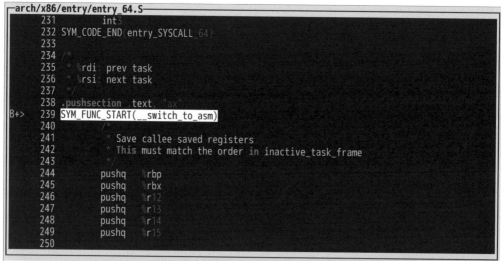

**図10　GDBの実行画面**
画面上部に、gdbcomファイルで指定したブレークポイント付近のソースコードが表示されます。ソースコードが記述されているファイルの名前と位置も分かります。

　GDBの画面上部には、現在Linuxカーネルのどの部分が実行されているのかが分かるように、対応する箇所付近のソースコードが表示されます。反転表示されている行の直前までが実行され、反転表示されている行は実行されずに停止している状

態になっています。

### ステップ実行しながらレジスタとスタックの情報を表示

　GDBの画面下部には「(gdb)」というプロンプトが表示されています。そこにコマンドを入力することで、さまざまな操作が可能です。

　まずは反転表示されている行を実行する「n」（または「next」）コマンドを実行してみましょう。

```
(gdb) n ⏎
```

　明るく反転している表示が次の行に移動したはずです。このように1行ずつ実行していくことを「ステップ実行」と呼びます。ステップ実行によって、プログラムの動作を細かく調べられます。

　図11の①の範囲のコードをステップ実行してみましょう。これらのコードによって、「rbp」「rbx」「r12」「r13」「r14」「r15」というレジスタにある64ビットデータがスタックに保存されたはずです。

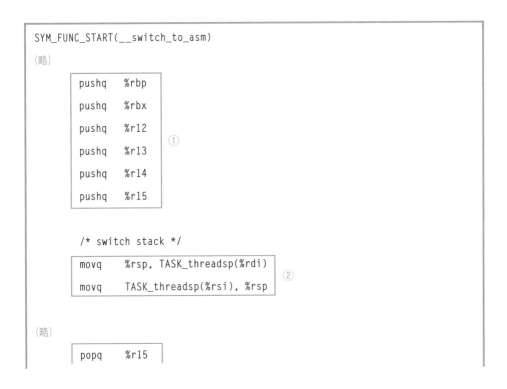

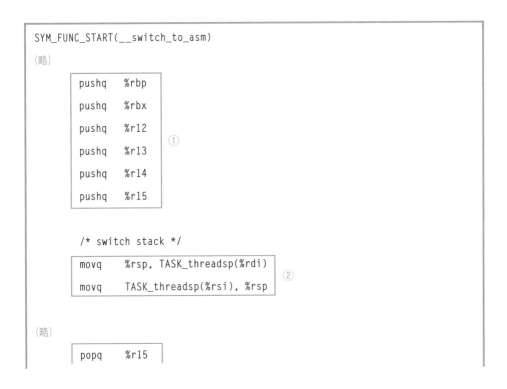SYM_FUNC_START(__switch_to_asm)

(略)

```
    pushq    %rbp
    pushq    %rbx
    pushq    %r12          ①
    pushq    %r13
    pushq    %r14
    pushq    %r15


    /* switch stack */
    movq     %rsp, TASK_threadsp(%rdi)
                                          ②
    movq     TASK_threadsp(%rsi), %rsp

(略)

    popq     %r15
```

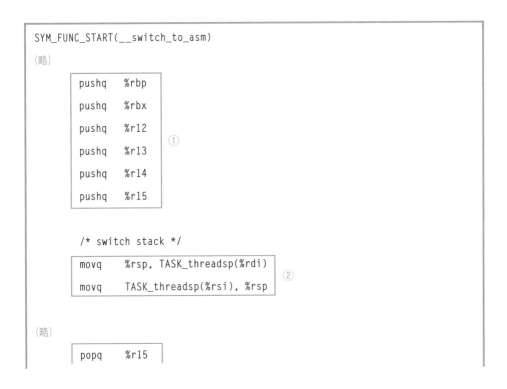

```
        popq    %r14

        popq    %r13

        popq    %r12     ③

        popq    %rbx

        popq    %rbp


        jmp     __switch_to
SYM_FUNC_END(__switch_to_asm)
```

図11　__switch_to_asm()関数のコード（抜粋）
①〜③の部分のコードをステップ実行しながら調査していきます。

　まずはこれらのレジスタの値を調べてみましょう。レジスタの値を調べるには
「info registers レジスタ名」の形式でコマンドを実行します。レジスタ名は複数指
定可能です。前述のレジスタの値をすべて調べるには、次のコマンドを実行します。

```
(gdb) info registers rbp rbx r12 r13 r14 r15 ⏎
```

　実行結果は例えば図12のようになります。

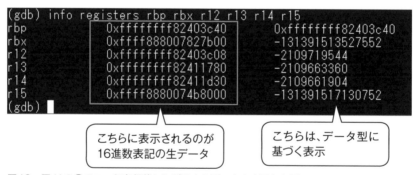

図12　図11の①のコード実行後にレジスタのデータを表示した例
レジスタの値を調べるには「info registers レジスタ名」の形式でコマンドを実行します。

　次にスタックのデータを読み出してみます。先ほどの六つのレジスタのサイズは
64ビットなので、スタックから64ビットのデータを六つ読み出すことになります。
そのためのコマンドは次の通りです。

```
(gdb) x/6xg $rsp ⏎
```

　先頭の「x」は指定したメモリー位置からデータを読み出すコマンドです。「/」は区切り文字で、次の「6」は読み出すデータの個数、「x」はデータを16進数で表示することを指示するオプション、「g」はデータのサイズが64ビットであることを指示するオプションです。実行結果は例えば**図13**のようになります。後にスタックに入れたデータから先に表示されますので、図12の表示順序とは逆になりますが、レジスタのデータがきちんとスタックに格納されていることが分かります。

この部分に表示されるのがデータ

```
(gdb) x/6xg $rsp
0xffffffff82403bc0:    0xffff8880074b8000    0xffffffff82411d30
0xffffffff82403bd0:    0xffffffff82411780    0xffffffff82403c08
0xffffffff82403be0:    0xffff888007827b00    0xffffffff82403c40
(gdb)
```

**図13　図11の①のコード実行後にスタックのデータを表示した例**
スタックから64ビットのデータを六つ読み出すコマンドを実行した結果です。

　さらにステップ実行を進めて、図11の②の範囲のコードを実行してみましょう。これらのコードによって、スタックが切り替えられます。次のコマンドを実行してデータを読み出してみましょう。

```
(gdb) x/6xg $rsp ⏎
```

　実行結果は**図14**のようになります。スタックが切り替わっているため、図13とは表示されるデータが異なるはずです。

```
(gdb) x/6xg $rsp
0xffffc90000013f20:    0x0000000000000000    0x0000000000000000
0xffffc90000013f30:    0x0000000000000000    0x0000000000000000
0xffffc90000013f40:    0xffffffff81a78360    0x0000000000000000
(gdb)
```

**図14　図11の②のコード実行後にスタックのデータを表示した例**
スタックが切り替わったため、図13とは違うデータが表示されます。

　続いて図11の③の範囲のコードを実行してから、「rbp」「rbx」「r12」「r13」「r14」「r15」のデータを次のコマンドで表示してください。

```
(gdb) info registers rbp rbx r12 r13 r14 r15 ⏎
```

　実行結果は**図15**のようになります。スタックのデータがレジスタに復元されていることが分かります。

```
(gdb) info registers rbp rbx r12 r13 r14 r15
rbp             0x0        0x0 <fixed_percpu_data>
rbx             0xffffffff81a78360        -2119728288
r12             0x0        0
r13             0x0        0
r14             0x0        0
r15             0x0        0
(gdb) ▮
```

**図15　図11の③のコード実行後にレジスタのデータを表示した例**
図14で表示したスタックのデータと同じデータが表示されているのが分かります。

## GDBとQEMUの終了手順

　GDBは「q」（あるいは「quit」）コマンドを次のように実行すると終了できます。

```
(gdb) q ⏎
```

　QEMUは、qemu-system-x86_64コマンドを実行した端末で、［Ctrl］キーと［A］キーを同時に押したあと［X］キーを押すと終了できます。［Ctrl］キーと［A］キーを同時に押したあとに［C］キーを押してQEMUモニターに切り替え、そこで次のように「quit」コマンドを実行することでも終了できます。

```
(qemu) quit ⏎
```

OSのカーネルは、システムのデータやハードウエアを管理する関係で、基本的にシステムのすべての資源にアクセスできなければなりません。また、ハードウエアの設定も自由に変更できる必要があります。

一方、ユーザーが実行するアプリケーションにそうした自由を与えると、システム破壊やほかのユーザーのデータを盗み見るなどのセキュリティ上の問題が生じます。そのため、アプリケーションがアクセスできる資源や可能な操作に制限を設ける必要があります。

こうした要求に対応するために多くのCPUは、カーネルの動作を想定した「カーネルモード」(「特権モード」などとも呼ぶ)と、ユーザーアプリケーションの動作を想定した「ユーザーモード」の二つの動作モードを備えています[9]。

Linuxカーネルもこの仕組みを利用しています。つまり通常のプロセスやスレッドはユーザーモードで動作し、カーネル内のコードはカーネルモードで動作するようになっています。第5章で、プロセスの仮想メモリー空間内にカーネルのコードやデータがマッピングされることを解説しましたが、そのカーネル用のメモリー領域は、ユーザーモードで動作するプログラムからは読み書きできないように保護されています(図16)。一方、カーネルモードで動作するプログラムは基本的にすべてのメモリー領域にアクセスできます。

第6章 コンテキストスイッチの仕組み

---

[9] CPUによってはもっと多くの動作モードを備えています。例えば、x86系プロセッサは基本的に四つの動作モードを備えています。

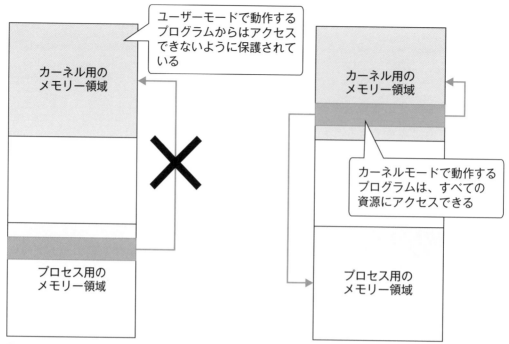

**図16　動作モードによるアクセス保護の例**
カーネル用のメモリー領域は、ユーザーモードのプログラムからは読み書きできません。逆にカーネルモードのプログラムはすべての領域にアクセスできます。

　動作モードを切り替えるモード遷移は、さまざまなタイミングで生じます。例えば、プロセスがシステムコールを発行した際には、ユーザーモードからカーネルモードに切り替わります。そしてシステムコールの処理が終わると、再度、カーネルモードからユーザーモードに切り替わります。また、タスクスケジューラが、実行するプロセスを変更する場合には、ユーザーモード→カーネルモード→ユーザーモードというモード遷移が起こります。

## カーネルモードで動作するコードの仮想メモリー

　Linuxでは、OS起動時を除いて、カーネルモードで動作するコードは独立した仮想メモリー空間を持ちません。直前に実行されていたプロセスなどの仮想メモリー空間をそのまま利用することになっています（**図17**）。つまり、ユーザーモードからカーネルモードに遷移する際にはcr3レジスタに設定するPGDテーブルのページフレーム番号は基本的に変更されません。

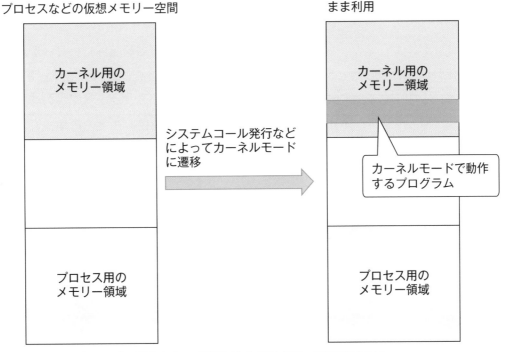

プロセスなどの仮想メモリー空間

モードが切り替わる前の
仮想メモリー空間をその
まま利用

カーネル用の
メモリー領域

システムコール発行など
によってカーネルモード
に遷移

カーネル用の
メモリー領域

カーネルモードで動作
するプログラム

プロセス用の
メモリー領域

プロセス用の
メモリー領域

図17　カーネルモードで動作するコードは独立した仮想メモリー空間を持たない
直前に実行されていたプロセスなどの仮想メモリー空間をそのまま利用します。

　そのようなことをして大丈夫かと心配になりますが、カーネルのコードやデータ
は、どのプロセスでも同じ仮想メモリー領域にマッピングされるので問題はありま
せん。

　このようにする理由は、モード遷移による性能低下を抑えるためです。cr3レジス
タのデータを変更すると、ページテーブルを使ったアドレス変換処理を高速化する
ためのキャッシュであるTLB（TLBについては1-5節を参照）に蓄えられたデータ
が無効化してしまい、再度ページテーブルをたどらなければアドレス変換ができな
くなります。そのため、できるだけcr3レジスタのデータは変更しない方が望まし
いのです。

# 6-5 PTI(Page Table Isolation)

動作モードによってカーネル用のメモリー領域を保護する仕組みは、長い間、問題なく使われていました。しかし、近年見つかった「Meltdown」や「Spectre」などと呼ばれるCPUの脆弱性を悪用すると、動作モードによるアクセス保護の仕組みを迂（う）回して、カーネル用のメモリー領域のデータを読み出せる危険性があることが分かりました。

そこでLinuxカーネルでは、2018年にリリースされたバージョン4.15から「PTI」（Page Table Isolation）という仕組みを導入して、既定でこれを有効化しています。

PTIを有効にしたカーネルでは、ユーザーモード時とカーネルモード時のメモリーマップを一部変更します（**図18**）。具体的には、ユーザーモード時の仮想メモリー空間にはカーネル用の領域をマッピングしません。カーネル用の領域は、カーネルモードに遷移した際にだけマッピングされます。このようにすることで、前述のようなCPUの脆弱性を悪用しても、アプリケーションからはカーネル用の領域のデータを読み出すのは困難になります。

ユーザーモード時のメモリーマップ　　カーネルモード時のメモリーマップ

| カーネル用に<br>用意した<br>空き<br>メモリー領域 | カーネル用の<br>メモリー領域 |
|---|---|
| | |
| プロセス用の<br>メモリー領域 | プロセス用の<br>メモリー領域 |

**図18　PTI有効時のメモリーマップ**
ユーザーモードのときにはカーネル用の領域をマッピングしません。カーネルモードの場合は、従来通りにマッピングされます。

メモリーマップの切り替えを実現するために、PTIを有効にしたカーネルでは、タスクの仮想メモリー用のPGDテーブルを二つ用意します。従来一つの物理ページ内にPGDテーブルを作成していたのに対し、PTIを有効にしたカーネルでは、二つの連続した物理ページにそれぞれ一つのPGDテーブルを作成します（**図19**）。そして最初の物理ページにあるPGDテーブルをカーネルモード用、次の物理ページにあるPGDテーブルをユーザーモード用として使用します。このようにすると、cr3レジスタ内のページフレーム番号データに「1」を加減算することで、カーネルモード用とユーザーモード用のPGDテーブルを切り替えられます。

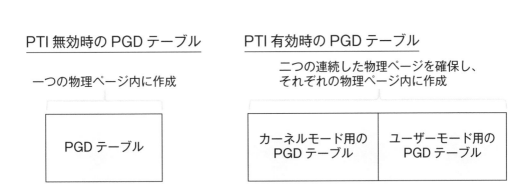

**PTI無効時のPGDテーブル**
一つの物理ページ内に作成

PGDテーブル

**PTI有効時のPGDテーブル**
二つの連続した物理ページを確保し、
それぞれの物理ページ内に作成

カーネルモード用の
PGDテーブル　　ユーザーモード用の
PGDテーブル

図19　PTI有効時にはPGDテーブルを二つ用意する
最初の物理ページにあるPGDテーブルをカーネルモード用として使い、次の物理ページにあるPGDテーブルをユーザーモード用とします。

### 処理速度低下を抑える工夫

　PTIの導入によって安全性は高まりますが、その半面、性能低下の問題が生じます。前述の通りcr3レジスタの値を動作モードに合わせて変更するからです。

　性能低下を抑えるためにPTIでは、CPUが「PCID」（Process-Context Identifier）や「INVPCID」（Invalidate Process-Context Identifier）という機能に対応している場合は、それを活用します。

　PCIDは、従来は単一の仮想メモリー空間のキャッシュしか保持できなかったTLBを拡張し、仮想メモリー空間ごとにIDを付けてキャッシュを混在保持できるようにする機能です。IDの数は4096個とそれほど多くはありませんが、PCIDの利用によってキャッシュデータを消去する頻度を減らせるため、処理速度低下を抑えられます。

　INVPCIDは、特定のPCIDを無効化する機能です。PCIDを使い尽くした場合な

どに、PCIDの割り当てを変更する処理を高速化できます。

CPUがPCIDやINVPCIDに対応しているかどうかは、lscpuコマンドを実行することで分かります。CPUの機能を示す「フラグ:」項目に「pcid」という文字列があればPCID、「invpcid」という文字列があればINVPCIDに対応しています。

## PTIによるPGDテーブル切り替えを確認

6-3節で紹介したQEMUとGDBの組み合わせで、PTIの動作を確認してみましょう。具体的には、システムコールが発行された際にカーネル内で最初に呼び出されるentry_SYSCALL_64()という関数内のコードの実行によって、cr3レジスタの値がどのように変化するのかを調べてみます。

QEMUとGDBの準備手順は6-3節の通りです。カーネルも6-3節で紹介した手順でビルドします。ただし、PTIを有効にするために「CONFIG_PAGE_TABLE_ISOLATION=y」という設定を追加します。menuconfigターゲットなどを使う場合は、「Mitigations for CPU vulnerabilities」セクションの「Remove the kernel mapping in user mode」項目で設定できます。

カーネルのビルドまで完了したら、ソースツリーのトップディレクトリーに図20の内容の「gdbcom2」というファイルを作成します。

```
target remote localhost:12345

source .

symbol-file vmlinux

b entry_SYSCALL_64

la src

c
```

図20　作成するGDB用のスクリプトファイルの内容
ソースツリーのトップディレクトリーに上記のような内容の「gdbcom2」という名前のファイルを作成します。

準備ができたら、ソースツリーのトップディレクトリーで次のコマンドを実行してQEMU上でLinuxカーネルを動かします。

```
$ qemu-system-x86_64 -kernel arch/x86_64/boot/bzImage -initrd ~/ini
tramfs.img -append "console=ttyS0 rdinit=/sbin/init pti=on" -nograp
```

```
hic -gdb tcp::12345 -S ⏎
```

　-appendオプションで指定するカーネル起動オプションに「pti=on」という文字列を追加している点に注意してください。PTI機能は環境に応じて自動的に無効化されることがあるのですが、この文字列をカーネル起動オプションとして指定することで、強制的に有効化できます。

　続いて、別の端末エミュレーターなどを開いて、ソースツリーのトップディレクトリーに移動してください。そこで次のコマンドを実行するとGDBが起動します。

```
$ gdb -x gdbcom2 ⏎
```

　システムコールが発行され、entry_SYSCALL_64()関数が呼び出された時点でLinuxカーネルの動作が止まります（**図21**）。この段階では、cr3レジスタには、まだユーザーモード用のPGDテーブルのページフレーム番号が格納されているはずです。実際にcr3レジスタの内容を調べてみましょう。

第6章　コンテキストスイッチの仕組み

```
┌arch/x86/entry/entry_64.S─────────────────────────────────
   80     * Only called from user space.
   81     *
   82     * When user can change pt_regs->foo always force IRET. That is because
   83     * it deals with uncanonical addresses better. SYSRET has trouble
   84     * with them due to bugs in both AMD and Intel CPUs.
   85     */
   86
   87  SYM_CODE_START(entry_SYSCALL_64)
   88          UNWIND_HINT_ENTRY
B+>89          ENDBR
   90
   91          swapgs
   92          /* tss.sp2 is scratch space. */
   93          movq    %rsp, PER_CPU_VAR(cpu_tss_rw + TSS_sp2)
   94          SWITCH_TO_KERNEL_CR3 scratch_reg=%rsp
   95          movq    PER_CPU_VAR(pcpu_hot + X86_top_of_stack), %rsp
   96
   97  SYM_INNER_LABEL(entry_SYSCALL_64_safe_stack, SYM_L_GLOBAL)
   98          ANNOTATE_NOENDBR
   99
remote Thread 1.1 (src) In: entry_SYSCALL_64          L89   PC: 0xffffffff82000080
Breakpoint 1, entry_SYSCALL_64 () at arch/x86/entry/entry_64.S:89
(gdb)
```

**図21　GDBの実行画面**
entry_SYSCALL_64()関数が呼び出された時点でLinuxカーネルの動作が止まります。

159

cr3レジスタの内容を調べるには、QEMUの画面をQEMUモニターに切り替えます。qemu-system-x86_64コマンドを実行した端末で、［Ctrl］キーと［A］キーを同時に押したあとに［C］キーを押すとQEMUモニターに切り替えられます。再度同じ操作をすると元のQEMU画面に戻ります。

　QEMUモニターで次のコマンドを実行するとcr3レジスタを含むレジスタの値が表示されます[*10]。

```
(qemu) info registers ⏎
```

　実行結果は**図22**のようなものになります。この実行例では16進数で「0000000006bb1000」という値でした。ページフレーム番号は、cr3レジスタの12〜51ビット目に格納されます。つまり16進数表記の下から4〜13桁目がページフレーム番号となります。先ほどの実行例だと「0000006bb1」がページフレーム番号を示す16進数です。

```
(qemu) info registers
RAX=000000000000000c RBX=0000000000000000 RCX=00000000004e9339 RDX=0000000000400190
RSI=000000000000003f RDI=0000000000000000 RBP=0000000000001200 RSP=00007ffe1a31caf8
R8 =0000000000000002 R9 =00007ffe1a31cbbc R10=0000000000000000 R11=0000000000000246
R12=0000000000000008 R13=0000000000000092 R14=0000000000000040 R15=000000000007f4480
RIP=ffffffff81c00000 RFL=00000002 [-------] CPL=0 II=0 A20=1 SMM=0 HLT=0
ES =0000 0000000000000000 00000000 00000000
CS =0010 0000000000000000 ffffffff 00a09b00 DPL=0 CS64 [-RA]
SS =0018 0000000000000000 ffffffff 00c09300 DPL=0 DS   [-WA]
DS =0000 0000000000000000 00000000 00000000
FS =0000 0000000000000000 00000000 00000000
GS =0000 0000000000000000 00000000 00000000
LDT=0000 0000000000000000 00000000 00008200 DPL=0 LDT
TR =0040 fffffe0000003000 0000206f 00008900 DPL=0 TSS64-av
GDT=     fffffe0000001000 0000007f
IDT=     fffffe0000000000 00000fff
CR0=80050033 CR2=00000000004913a0 CR3=000[0000006bb1]000 CR4=000006f0
DR0=0000000000000000 DR1=0000000000000000 DR2=0000000000000000 DR3=0000000000000000
DR6=00000000ffff0ff0 DR7=0000000000000400
EFER=0000000000000d01
```

「0000006bb1」がページフレーム番号

**図22　QEMUモニターでレジスタのデータを表示した例**
「info registers」コマンドを実行することで、cr3を含むレジスタのデータを表示できます。

　次にGDBの画面に移動して、「n」コマンドを繰り返し実行し、「SWITCH_TO_KERNEL_CR3 scratch reg=%rsp」という行を実行します。この行によってcr3レジスタの値がカーネルモード用のPGDテーブルのページフレーム番号に変更されるはずです。

QEMUモニターに戻ってレジスタの値を再度確かめてみましょう。結果は**図23**のようになります。この実行例では、cr3レジスタの値は16進数で「0000000006bb0000」でした。ここからページフレーム番号を取り出すと「0000006bb0」です。先ほどの値から「1」を差し引いた値が格納されていることが分かります。

「0000006bb0」に
ページフレーム番号が変化した

```
CR0=80050033 CR2=00000000004913a0 CR3=0000000006bb0000 CR4=000006f0
DR0=0000000000000000 DR1=0000000000000000 DR2=0000000000000000 DR3=0000000000000000
DR6=00000000ffff0ff0 DR7=0000000000000400
EFER=0000000000000d01
```

**図23　テーブルの切り替え処理後にレジスタのデータを表示した例**
cr3レジスタのデータが変化していることが分かります。

### PTI無効時の調査

PTIが無効の際には、entry_SYSCALL_64()関数の実行によって、cr3レジスタの値はどうなるのでしょうか。引き続き調査してみましょう。

ソースツリーのトップディレクトリーで次のコマンドを実行してください。-appendオプションで指定するカーネル起動オプションの文字列が「pti=off」に変わっていること以外は、先ほど実行したコマンドと同じです。これによって、PTIが無効のLinuxカーネルをQEMU上で稼働できます。

```
$ qemu-system-x86_64 -kernel arch/x86_64/boot/bzImage -initrd ~/ini
tramfs.img -append "console=ttyS0 rdinit=/sbin/init pti=off" -nogra
phic -gdb tcp::12345 -S ⏎
```

以降は、先ほどと同じ手順でGDBを起動してcr3レジスタの値を調べてください。「SWITCH_TO_KERNEL_CR3 scratch rcg-%rsp」行を実行する前と後のcr3レジスタの値を調べた例を**図24**に示します。PTIが有効の場合とは異なり、この行の実行の前後でcr3レジスタの値は変化しないことが分かります。

---

＊10　前述した通り、GDBのコマンドでレジスタの値を参照することもできます。cr3レジスタの値を参照するには「info registers cr3」コマンドを実行します。

```
CR0=80050033 CR2=00000000004b8c60 CR3=00000000042f4000 CR4=000006f0
DR0=0000000000000000 DR1=0000000000000000 DR2=0000000000000000 DR3=000000000000
DR6=00000000ffff0ff0 DR7=0000000000000400
EFER=0000000000000d01
```

「SWITCH_TO_KERNEL_CR3 scratch reg＝%rsp」行の実行        値は変化しない

```
CR0=80050033 CR2=00000000004b8c60 CR3=00000000042f4000 CR4=000006f0
DR0=0000000000000000 DR1=0000000000000000 DR2=0000000000000000 DR3=000000000000
DR6=00000000ffff0ff0 DR7=0000000000000400
EFER=0000000000000d01
```

図24　PTI無効時のcr3レジスタの値を調べた例

「SWITCH_TO_KERNEL_CR3 scratch reg＝%rsp」行の実行後も値が変化しません。

# 第7章

# 物理メモリー管理の仕組み

本章では、物理メモリー管理の仕組みについて解説します。解説するのは、連続した物理ページで構成される物理メモリー領域を効率良く確保する仕組みである「バディーシステム」と、物理ページよりも小さなサイズの物理メモリー領域を確保する仕組みである「スラブアロケーター」の二つです。

# 7-1 物理メモリー管理の必要性

第5章で紹介した通り、Linuxカーネルではページングと呼ばれる方式で仮想メモリーを実現しています。ページングを使えば、任意の物理ページを複数組み合わせて、さまざまなサイズの連続した仮想メモリー領域を確保できます。

ページングを使った仮想メモリーの仕組みがあれば、あるサイズの連続した物理メモリー領域を確保したり、それらを解放したりする物理メモリー管理の仕組みは不要のように思えます。しかし、実際には、いくつかの理由で物理メモリー管理が必要です。

理由の一つは、カーネル用の仮想メモリー領域の大部分で、物理メモリーを連続的に割り当てている（ストレートマップしている）からです（**図1**）。物理メモリー全体をストレートマップするダイレクトマップ領域はもちろんですが、vmalloc/ioremap領域を除く他の領域でも、物理メモリーをストレートマップしています。そうした領域内でメモリー領域を確保したり、解放したりするには、物理メモリー管理の仕組みが必要になります。

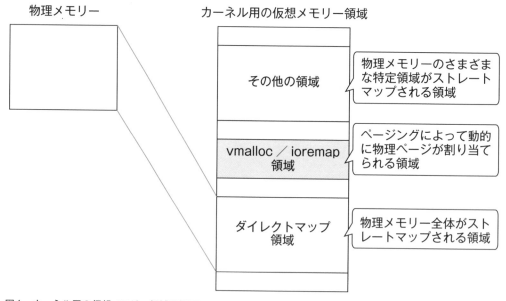

図1　カーネル用の仮想メモリー領域の概要

また、周辺機器などとCPUを介さずにデータを転送する仕組みである「DMA」（Direct Memory Access）も理由の一つです。DMAコントローラーは、一般にMMUを介さずに物理メモリーに直接アクセスし[*1]、連続した物理メモリー領域にあるデータを周辺機器内のバッファーに転送したり、その逆の処理をしたりします（**図2**）。こうした処理をするための物理メモリー領域を確保したり、解放したりするには、物理メモリー管理の仕組みが必要です。

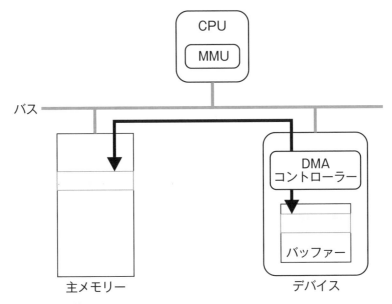

**図2　DMAによるデータ転送**
DMAコントローラーは、一般にMMUを介さずに物理メモリーに直接アクセスし、連続した物理メモリー領域にあるデータを周辺機器内のバッファーに転送したり、その逆の処理をしたりします。

＊1　周辺機器向けのMMU（IOMMU）を介してアクセスする場合もあります。

第7章　物理メモリー管理の仕組み

## 7-2 断片化(フラグメンテーション)を極力避ける

物理メモリー管理において重要なことの一つが、メモリーの利用効率を低下させる「断片化」(フラグメンテーション)を極力避けることです。メモリーの断片化には、内部断片化と外部断片化の2種類があります。

内部断片化とは、メモリー領域を確保する際に、実際には使わない領域まで確保してしまって、メモリー利用効率が下がることです(**図3**)。これは、ページのような固定サイズのメモリー領域を最小単位にしてメモリーを管理する場合に発生します。例えば、ページ単位にしかメモリー領域を確保できない環境だった場合、数バイト程度の領域しか必要でなくても一つのページを確保することになります。例えばページサイズが4Kバイトだとすると、その大部分が無駄になります。

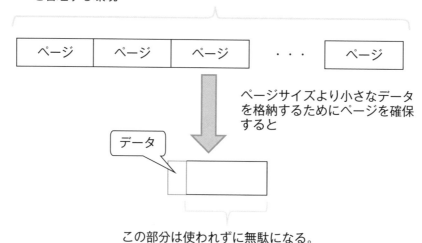

図3 メモリーの内部断片化
ページのような固定サイズのメモリー領域を最小単位にしてメモリーを管理する場合に発生します。

一方、外部断片化とは、使用中のメモリー領域が分散してしまい、連続した空きメモリー領域のサイズが小さくなることです(**図4**)。外部断片化が進行すると、必要なサイズの連続したメモリー領域を確保できなくなって、やはりメモリーの利用効率が下がってしまいます。

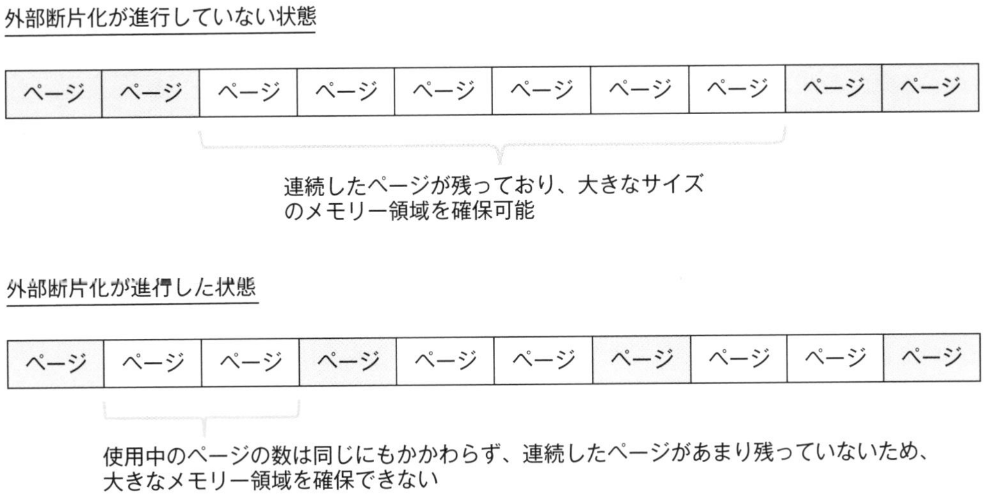

外部断片化が進行していない状態

| ページ | ページ | ページ | ページ | ページ | ページ | ページ | ページ | ページ | ページ |
|---|---|---|---|---|---|---|---|---|---|

連続したページが残っており、大きなサイズ
のメモリー領域を確保可能

外部断片化が進行した状態

| ページ | ページ | ページ | ページ | ページ | ページ | ページ | ページ | ページ | ページ |
|---|---|---|---|---|---|---|---|---|---|

使用中のページの数は同じにもかかわらず、連続したページがあまり残っていないため、
大きなメモリー領域を確保できない

図4　メモリーの外部断片化
使用中のメモリー領域が分散してしまい、連続した空きメモリー領域のサイズが小さくなることです。

　Linuxカーネルは、こうしたメモリーの断片化をできるだけ避けるための物理メモリー管理の仕組みを備えています。

## 7-3 バディーシステムの仕組み

　要求したサイズの連続した物理／仮想メモリー領域を確保／解放する仕組みを「メモリーアロケーター」と呼びます。Linuxカーネルは、カーネル内部で使用できるメモリーアロケーターを複数備えています。また、メモリー管理用のシステムコールも複数備えています。それらのベースとなるのが「バディーシステム」（Buddy System）と呼ばれるメモリーアロケーターです（**図5**）。

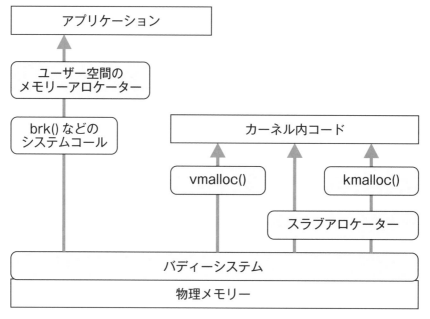

**図5　さまざまなメモリーアロケーターのベースとなるバディーシステム**
さまざまなメモリーアロケーターやメモリー管理用のシステムコールのベースとなるのがバディーシステムと呼ばれるメモリーアロケーターです。

　バディーシステムは、2のべき乗個の連続した物理メモリーページで構成される「メモリーブロック」単位で物理メモリーを管理します。空きメモリーブロックを大きさ別にリストで管理しておき、あるサイズのメモリーブロックを要求されると、該当するサイズのリストにある空きメモリーブロックを割り当てます（**図6**）。リストに空きメモリーブロックがない場合は、倍の大きさの空きメモリーブロックを半分に分割し、そのうちの一つを割り当てます*2。使わないもう一つは、リストに登

録します。

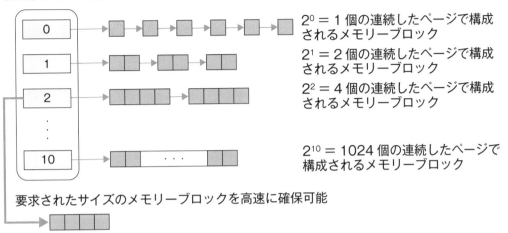

図6　バディーシステムがメモリーブロックを管理する仕組み
バディーシステムは、2のべき乗個の連続した物理メモリーページで構成される「メモリーブロック」単位で物理メモリーを管理します。

　メモリーブロックが使用後に解放されると、前後に空きメモリーブロックがないかどうかを調べ、存在する場合はマージして、できるだけ大きなサイズの空きメモリーブロックを作ってリストに登録します。

　バディーシステムでは、4Kバイト（物理ページの個数は1）～ 4Mバイト（物理ページの個数は1024）の11種類のサイズのメモリーブロックを管理します。最大のメモリーブロックサイズは、「include/linux/mmzone.h」ファイルで定義される「MAX_ORDER」（**図7**）という定数で決まります[3]。

第7章　物理メモリー管理の仕組み

＊2　倍の大きさの空きメモリーブロックがない場合は、さらに倍の大きさの空きメモリーブロックを探すという風に、空きメモリーブロックが見つかるまで探索を繰り返します。

＊3　デフォルト値は「10」です。CONFIG_ARCH_FORCE_MAX_ORDERカーネル設定変数が定められている場合は、その設定変数の値になります。なお、バージョン6.4より前のLinuxカーネルでは、MAX_ORDERの値はメモリーブロックサイズの種類数を示しています。そのため、同じ状態にするには設定する数値を「1」増やす必要があり、かつてのデフォルト値は「11」でした。これが分かりにくかったため、現在の仕様に変更されました。

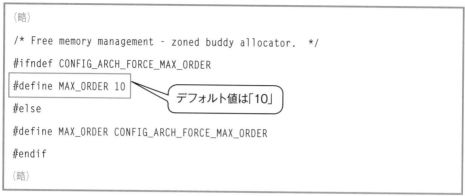

```
(略)

/* Free memory management - zoned buddy allocator.  */

#ifndef CONFIG_ARCH_FORCE_MAX_ORDER

#define MAX_ORDER 10          デフォルト値は「10」

#else

#define MAX_ORDER CONFIG_ARCH_FORCE_MAX_ORDER

#endif

(略)
```

図7　MAX_ORDER定数の定義
「include/linux/mmzone.h」ファイルの該当部分を抜粋しています。

　バディーシステムの仕組みは、1963年に開発された歴史のあるものです。シンプルな仕組みにもかかわらず、メモリーの外部断片化を避けつつ高速に動作するのが特徴です。

### メモリーゾーンごとにメモリーブロックを管理

　64ビットのx86プロセッサ向けのLinuxカーネルは、物理メモリーを「ZONE_DMA」「ZONE_DMA32」「ZONE_NORMAL」という主に三つのメモリーゾーンに分割して管理できます[*4]（**図8**）。

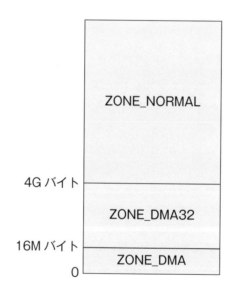

図8　メモリーゾーン
64ビットのx86プロセッサ向けのLinuxカーネルは、物理メモリーを「ZONE_DMA」「ZONE_DMA32」「ZONE_NORMAL」という主に三つのメモリーゾーンに分割して管理できます。

ZONE_DMAは、物理メモリーの先頭から16Mバイトまでの領域です。古いデバイスには、この領域内に対してしかDMAができないものがあります。そうしたデバイスを使う場合には、「CONFIG_ZONE_DMA=y」というビルド設定にして、このメモリーゾーンを有効にします。

ZONE_DMA32は、物理メモリーの先頭から4Gバイトまでの領域からZONE_DMA領域を除いた部分です。この領域は、通常のデバイスがDMA可能なエリアです。

ZONE_NORMALは、ZONE_DMAとZONE_DMA32を除いたエリアです。

実際にどのようなメモリーゾーンに分割されたのかは、起動時に出力されたカーネルメッセージを「sudo dmesg」コマンドを実行して調べると分かります。調べるのは、「Zone ranges:」に続いて出力されている、図9のような部分です。

```
$ sudo dmesg ⏎
(略)
[    0.001534] Zone ranges:
[    0.001535]   DMA      [mem 0x0000000000001000-0x0000000000ffffff]
[    0.001537]   DMA32    [mem 0x0000000001000000-0x00000000ffffffff]
[    0.001538]   Normal   [mem 0x0000000100000000-0x000000021fffffff]
[    0.001540]   Device   empty
[    0.001541] Movable zone start for each node
(略)
```

図9　メモリーゾーンについてのカーネルメッセージの例
ZONE_DMAを有効にした場合の例です。

なお、カーネルメッセージで分かる通り、64ビットのx86プロセッサ向けのLinuxカーネルでは、物理メモリーの先頭の1ページ（物理アドレスで「0x0000000000000000」から「0x0000000000000FFF」の範囲）は使用しません。「arch/x86/kernel/setup.c」ファイルで定義されるtrim_bios_range()関数によって、BIOS用の領域として予約されています。

バディーシステムでは、これらのメモリーゾーンごとにメモリーブロックを管理

---

＊4　これ以外にも特殊な用途のメモリーゾーン「ZONE_MOVABLE」「ZONE_DEVICE」を設定できますが、ここでは割愛します。

します。バディーシステムを通じて物理メモリー領域を確保するalloc_pages()関数を呼び出す場合は、第1引数にメモリーゾーンを示すフラグを設定する必要があります[5]。

## 空きメモリーブロックの状況を調査

メモリーゾーンごとの空きメモリーブロックの状況は、「/proc/buddyinfo」ファイルの内容を表示することで分かります（**図10**）。

```
$ cat /proc/buddyinfo ⏎

Node 0, zone      DMA      0      0      1      1      1      1      1    ➡
0     1     1     3

Node 0, zone    DMA32      2      1      2      1      2      2      1    ➡
3     3     1    481

Node 0, zone   Normal    156    111     91    146    118      9      2    ➡
3     2     3  31194
```

**図10** 「/proc/buddyinfo」ファイルの内容を表示した例
メモリーゾーンごとの空きメモリーブロックの状況が分かります。

メモリーゾーンを示す「DMA」「DMA32」「Normal」という文字列の右側に表示されているのが、空きメモリーブロックの数です。数字はサイズ別にカウントされていて、最も左側にあるのがページ数が「1」の（つまり4Kバイトの）メモリーブロックの数、最も右側にあるのがページ数が「1024」の（つまり4Mバイトの）メモリーブロックの数です。

バディーシステムでメモリーブロックを確保／解放した際に、実際に/proc/buddyinfoファイルの内容が変化することを、「buddy_test」というカーネルモジュールでテストしてみましょう。

buddy_testモジュールは、任意の作業ディレクトリーを用意し、その中に**図11**で示す二つのファイルを作成してから、その作業ディレクトリーでmakeコマンドを実行するとビルドできます[6]。

Makefile
```
KDIR=/lib/modules/$(shell uname -r)/build
obj-m += buddy_test.o
```

```
all:
        make -C $(KDIR) M=$(PWD) modules
clean:
        make -C $(KDIR) M=$(PWD) clean
```

> 4行目と6行目の字下げは [Tab]キーを使う

buddy_test.c

```c
#include <linux/kernel.h>

#include <linux/init.h>

#include <linux/module.h>


static struct page *page;

static unsigned int order = 10;

static int __init buddy_test_init(void) {

        unsigned int flags = 0;

        flags |= __GFP_DMA32;

        page = alloc_pages(flags, order);

        return 0;

}

static void __exit buddy_test_exit(void) {

        __free_pages(page, order);

}

module_init(buddy_test_init);

module_exit(buddy_test_exit);

MODULE_AUTHOR("SUEYASU Taizo");

MODULE_DESCRIPTION("Buddy System test driver");

MODULE_LICENSE("GPL");
```

> メモリーブロックのサイズ を示す指数

> 「__GFP_DMA32」を「__GFP_DMA」 に変更するとZONE_DMA内に確保。 この行を削除するとZONE_NORMAL 内に確保

図11 「buddy_test」モジュールを作成するためのファイル
任意の作業ディレクトリーを用意し、その中にこれらの内容を持つ二つのファイルを作成します。

第7章 物理メモリー管理の仕組み

---

＊5 　ZONE_DMAを指定する場合は「__GFP_DMA」、ZONE_DMA32を指定する場合は「__GFP_DMA32」という
　　フラグを設定します。どちらも設定しなければZONE_NORMALになります。
＊6 　モジュールをビルドするにはGCCやLinuxカーネルのヘッダーファイルなどが必要です。第3章で紹介した手順で
　　カーネルのビルド環境を整え、カーネルをインストールしていれば、ほかの準備作業は不要です。

ビルドしたbuddy_testモジュールをカーネルに組み込んだり、取り外したりすることで、/proc/buddyinfoファイルの内容がどのように変わるかを調べた結果が**図12**です。buddy_testモジュールでは、カーネル組み込み時にZONE_DMA32内に4Mバイトのメモリーブロックを一つ確保し、カーネルから取り外すときに確保したメモリーブロックを解放します。その通りに、/proc/buddyinfoファイルの内容が変化することが分かります。

```
$ cat /proc/buddyinfo ⏎
Node 0, zone      DMA      0      0      1      1      1      1      1  ➡
0      1      1      3
Node 0, zone      DMA32    2      1      2      1      2      2      1  ➡
3      3      1    481
Node 0, zone      Normal  787    466    239    118    112     29      9  ➡
2      2      2  31191
$ sudo insmod ./buddy_test.ko ⏎
$ cat /proc/buddyinfo ⏎
Node 0, zone      DMA      0      0      1      1      1      1      1  ➡
0      1      1      3
Node 0, zone      DMA32    2      1      2      1      2      2      1  ➡
3      3      1   [480]
Node 0, zone      Normal  936    464    243    117    113     29      9  ➡
2      2      2  31191
$ sudo rmmod buddy_test ⏎
$ cat /proc/buddyinfo ⏎
Node 0, zone      DMA      0      0      1      1      1      1      1  ➡
0      1      1      3
Node 0, zone      DMA32    2      1      2      1      2      2      1  ➡
3      3      1   [481]
Node 0, zone      Normal  9                          13     29      9  ➡
2      2      2  31191
```

> モジュールを組み込むと、空きメモリーブロックが一つ減る

> モジュールを取り外すと、空きメモリーブロックが一つ増える

図12　buddy_testモジュールの操作による/proc/buddyinfoファイルの変化

バディーシステムで確保できるメモリーブロックのサイズは最小でページ一つの大きさ（4Kバイト）です。しかし、カーネル内部では、構造体などのデータを格納するためにページサイズよりも小さなデータ領域を頻繁に使用します。こうしたデータ領域をバディーシステムで確保すると、確保した領域のほとんどが未使用領域となる内部断片化が生じる危険があります。

そこでLinuxカーネルは、1997年リリースのバージョン2.1.23以降、ページサイズに限定されない（主にページサイズよりも小さな）データ領域を効率的に確保／解放できる「スラブアロケーター」というメモリーアロケーターを用意しています。

バージョン6.6のLinuxカーネルには、「SLAB」と「SLUB」の2種類のスラブアロケーター実装が用意されています。また、SLUBには、「SLUB_TINY」と呼ばれる省メモリー性を重視した設定が用意されています。SLUB_TINYは、SLABやSLUBとは仕組みが大幅に異なるため、ここでは、「SLAB」「SLUB」「SLUB_TINY」の三つについて説明します。

なお、当初はSLABしかありませんでしたが、バージョン2.6.22でSLUBが追加されました。また、このとき、SLUB_TINYの前身に当たる「SLOB」というスラブアロケーターも追加されています。バージョン2.6.23以降では、SLUBがデフォルトのスラブアロケーターとなっています。

ただし、SLOBはSLUBに加えられた改良に追従できなかったことなどから、代替品となるSLUB_TINYがバージョン6.2に追加され、それを受けてバージョン6.5以降でSLOBが廃止されました。SLABについても同様に議論が進み、バージョン6.8以降では廃止されています。

表1　三つのスラブアロケーター実装

| 名前 | 利用できるカーネルのバージョン | 説明 |
|---|---|---|
| SLAB | バージョン2.1.23以降 | 古い実装。バージョン6.8以降のカーネルでは廃止 |
| SLUB | バージョン2.6.22以降 | SLABをシンプル化しつつスケーラビリティを確保した改良版。バージョン2.6.23以降ではデフォルトのスラブアロケーターとして使われる |
| SLUB_TINY | バージョン6.2以降 | 省メモリー性を重視した設定のSLUB |

第7章　物理メモリー管理の仕組み

SLABとSLUBでは、「スラブキャッシュ」と呼ばれるメモリーブロックで構成される領域内に、固定サイズのデータ領域である「スラブオブジェクト」を事前に複数確保しておき、そのサイズのデータ領域を要求されたら、スラブオブジェクトの一つを選択して渡す仕組みを採用しています（**図13**）。さまざまなサイズのデータ領域の割り当てに対応できるように、スラブオブジェクトのサイズ別にスラブキャッシュを複数種類作ることができます。また、スラブキャッシュのそれぞれには名前を付けられます。同じサイズのスラブオブジェクトを格納するスラブキャッシュがあったとしても、名前によって区別することが可能です。

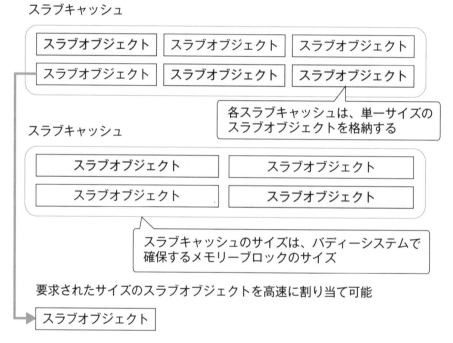

**図13　SLABとSLUBのメモリー領域管理の仕組み**
「スラブキャッシュ」と呼ばれるメモリーブロックで構成される領域内に、ある特定のサイズのデータ領域である「スラブオブジェクト」を事前に複数確保しておき、そのサイズのデータ領域を要求されたら、スラブオブジェクトの一つを選択して渡す仕組みを採用しています。

　スラブキャッシュを用意しておくことで、データ領域の割り当て／解放の要求に高速に対応できます。その半面、スラブキャッシュを使う仕組みには、メモリー消費量が多いという問題があります。これは主メモリー量が少ない組み込み機器などでは、特に問題です。そこでSLUB_TINYでは、スラブオブジェクトのサイズや名前ごとにスラブキャッシュを用意するのではなく、単一のメモリーブロック内に使

用する分だけのスラブオブジェクトを格納して管理する方法を採用しています（図14）。

単一のメモリーブロック

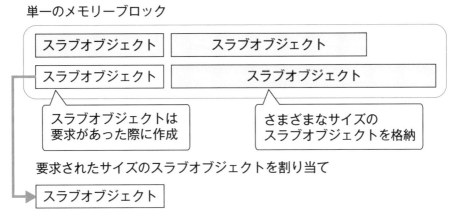

図14　SLUB_TINYのメモリー領域管理の仕組み
スラブオブジェクトのサイズや名前ごとにスラブキャッシュを用意するのではなく、単一のメモリーブロック内に使用する分だけのオブジェクトを格納して管理します。

　現在使用中のカーネルでどのスラブアロケーター実装を使っているのかは、カーネルのビルド設定ファイルを調べると分かります。「CONFIG_SLAB=y」という行があればSLAB、「CONFIG_SLUB=y」という行があればSLUB、「CONFIG_SLUB_TINY=y」という行があればSLUB_TINYを使っています。

### /proc/slabinfoファイルを使った調査
　SLABまたはSLUBを使っている場合は、「/proc/slabinfo」ファイルの内容を表示することで、スラブオブジェクトの情報などを調べられます（図15）。同ファイルの内容を表示するには、管理者権限が必要です。各行の最初に表示される四つの項目は、表2に示す情報を示します。

```
slabinfo - version: 2.1
```

| # name | <active_objs> | <num_objs> | <obj size> | <objper slab> | <pagesper slab> | : tunables | <limit> | <batch count> | <shared factor> | : slab data | <active_slabs> |
|---|---|---|---|---|---|---|---|---|---|---|---|
| nf_conntrack | 0 | 0 | 320 | 25 | 2 : tunables | 0 | 0 | 0 : slabdata | 0 | 0 | 0 |
| kvm_vcpu | 0 | 0 | 17152 | 1 | 8 : tunables | 0 | 0 | 0 : slabdata | 0 | 0 | 0 |
| kvm_mmu_page_header | 0 | 0 | 168 | 24 | 1 : tunables | 0 | 0 | 0 : slabdata | 0 | 0 | 0 |
| x86_fpu | 0 | 0 | 4160 | 7 | 8 : tunables | 0 | 0 | 0 : slabdata | 0 | 0 | 0 |
| ext4_groupinfo_4k | 24612 | 24612 | 144 | 28 | 1 : tunables | 0 | 0 | 0 : slabdata | 879 | 879 | 0 |
| btrfs_delayed_node | 0 | 0 | 312 | 26 | 2 : tunables | 0 | 0 | 0 : slabdata | 0 | 0 | 0 |
| btrfs_ordered_extent | 0 | 0 | 416 | 39 | 4 : tunables | 0 | 0 | 0 : slabdata | 0 | 0 | 0 |
| btrfs_extent_map | 0 | 0 | 144 | 28 | 1 : tunables | 0 | 0 | 0 : slabdata | 0 | 0 | 0 |
| btrfs_free_space_bitmap | 0 | 0 | 12288 | 2 | 8 : tunables | 0 | 0 | 0 : slabdata | 0 | 0 | 0 |

（略）

図15 「/proc/slabinfo」ファイルの内容を表示した例

SLABまたはSLUBを使っている場合は、「/proc/slabinfo」ファイルの内容を表示することで、スラブオブジェクトの情報などを調べられます。catコマンドで内容を表示しても見づらいため、ここでは表の形で整理します。

表2 「/proc/slabinfo」ファイルの各行の最初に表示される四つの項目

| 項目 | 説明 |
|---|---|
| name | スラブキャッシュの名前 |
| active_objs | アクティブなスラブオブジェクトの数 |
| num_objs | スラブオブジェクトの総数 |
| objsize | スラブオブジェクトのサイズ |

　なお、SLABの場合は、active_objs項目には割り当て済み（使用中）のスラブオブジェクトの数が表示されます。一方、SLUBの場合は意味合いが異なり、多くの場合、num_objs項目と同じ数値が表示されます。

　スラブアロケーターで、メモリー領域を確保／解放した際に、実際に/proc/slabinfoファイルの内容が変化することを、「slab_test」というカーネルモジュールでテストしてみましょう。

　slab_testモジュールは、任意の作業ディレクトリーを用意し、その中に図16で示す二つのファイルを作成してから、その作業ディレクトリーでmakeコマンドを実行するとビルドできます*7。

Makefile

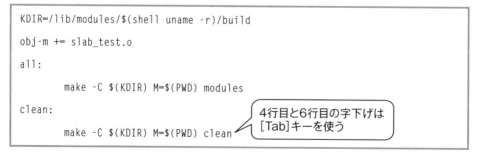

```
KDIR=/lib/modules/$(shell uname -r)/build

obj-m += slab_test.o

all:
        make -C $(KDIR) M=$(PWD) modules

clean:
        make -C $(KDIR) M=$(PWD) clean
```

4行目と6行目の字下げは[Tab]キーを使う

slab_test.c

```c
#include <linux/kernel.h>

#include <linux/init.h>

#include <linux/module.h>

#include <linux/slab.h>


static struct kmem_cache *slab_cache;

static void *data;

static size_t data_size = 456;


static int __init slab_test_init(void) {

        slab_cache = kmem_cache_create("test_slab_cache",

                                data_size, 0, 0, NULL);

        data = kmem_cache_alloc(slab_cache, 0);

        return 0;

}

static void __exit slab_test_exit(void) {

        kmem_cache_free(slab_cache, data);

        kmem_cache_destroy(slab_cache);

}

module_init(slab_test_init);

module_exit(slab_test_exit);

MODULE_AUTHOR("SUEYASU Taizo");

MODULE_DESCRIPTION("Slab test driver");

MODULE_LICENSE("GPL");
```

スラブオブジェクトのサイズ（バイト）

スラブキャッシュの名前

**図16　「slab_test」モジュールを作成するためのファイル**
任意の作業ディレクトリーを用意し、その中にこれらの内容を持つ二つのファイルを作成します。

---

＊7　モジュールをビルドするにはGCCやLinuxカーネルのヘッダーファイルなどが必要です。第3章で紹介した手順で
　　カーネルのビルド環境を整え、カーネルをインストールしていれば、ほかの準備作業は不要です。

ビルドしたslab_testモジュールをカーネルに組み込んだり、取り外したりすることで、/proc/slabinfoファイルの内容がどのように変わるかをSLABを使用している環境で調べた結果が**図17**です。

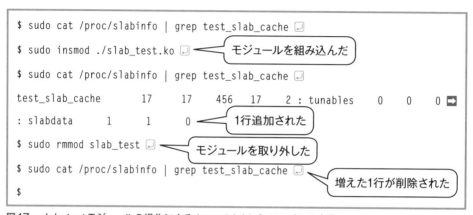

**図17　slab_testモジュールの操作による/proc/slabinfoファイルの変化**
モジュールを組み込むと、「test_slab_cache」から始まる行が追加されます。また、その行のobjsize項目は「456」となります。

　slab_testモジュールでは、カーネル組み込み時に「test_slab_cache」という名前のスラブキャッシュを作成し、そこに456バイトのデータを格納できるスラブオブジェクトを確保してから、そのうちの一つを割り当てます[8]。その通りに、/proc/slabinfoファイルには「test_slab_cache」から始まる行が追加されます。また、その行のobjsize項目は「456」となります[9]。
　slab_testモジュールを取り外すと、test_slab_cacheスラブキャッシュは削除され、/proc/slabinfoファイルの内容から「test_slab_cache」から始まる行がなくなります。

---

＊8　実際に作成されるスラブオブジェクトのサイズは、条件によっては格納できるデータのサイズよりも大きくなります。
＊9　性能を低下させずに正確な情報を収集するのが難しいことから、active_objs項目の数値などは実態を反映しないものになることがあります。

# 第8章

# ファイルシステム
# の仕組み

本章では、ファイルやファイルシステムについて概説します。多くの Linux ディストリビューションで標準ファイルシステムとして使われている「ext4」と、先進的な機能を多数備える「Btrfs」の二つについては、それらが持つデータを安全に更新する仕組みを詳しく解説します。

## 8-1　Linuxにおけるファイルの構造

　第1章で紹介した通り、ファイルシステムは、「ファイル」というインタフェースをユーザーやアプリケーションに提供する仕組みです。

　Linuxでは、ファイルに「任意の長さを持つバイト列データ」を格納します（**図1**）。ファイルシステムは、ファイル中のデータを単なるバイト列として取り扱い、特別な構造であることを要求しません。アプリケーションやユーザーは、ファイルの任意の場所のデータを1バイト単位で読み書きできます。また、ファイルのサイズは、記録されるデータに合わせて1バイト単位で増減します。

ファイルサイズはデータサイズと同じで、バイト単位に可変

| 任意の長さのバイト列 |
| --- |

図1　Linuxのファイルの構造

　現在では当たり前のように思えますが、このようなファイル構造は、UNIXが採用したことによって広く普及したものです。UNIX登場前から使われているメインフレームのOSなどでは、ファイルを固定長の記録ブロック（レコード）の集合として取り扱っていて、読み書きはレコード単位で実施します＊1。また、ファイルサイズはレコード単位で増減します。

　ファイル中のデータを単なるバイト列として取り扱うことの利点は、データの入出力処理やファイル操作を単純化できることです。例えば、ファイル中の特定のデータを書き換える場合、そのデータがどのレコードに記録されているかなどを考慮することなく、直接書き換えることができます。また、ファイル同士を連結する場合も、末尾のレコードの「空き」などを気にせずにそのまま連結できます。

### ファイルの管理情報は別にある

　ファイルそのものとは別に、ファイルを管理するためのさまざまな情報が存在します。そうした情報には例えば、ファイル名やファイルの所有者、ファイルのアクセス許可属性、ファイルを作成したり変更したりした時刻、ファイルのデータが実際に記

憶装置のどこの場所に格納されているかを示す情報、といったものがあります。

　これらの情報のうち、ファイル名は後述するディレクトリーに格納されます。他の情報は「iノード」と呼ばれるデータにまとめて管理されます[※2]。iノードのデータ構造は、「include/linux/fs.h」ファイルで**図2**のように定義されています。iノード中の主なデータ領域（フィールド）と、それに格納されるデータを**表1**にまとめました。

```
struct inode {
        umode_t                 i_mode;
(略)
        kuid_t                  i_uid;
        kgid_t                  i_gid;
(略)
        const struct inode_operations    *i_op;
        struct super_block      *i_sb;
(略)
        unsigned long           i_ino;
(略)
        union {
                const unsigned int i_nlink;
                unsigned int __i_nlink;
        };
        dev_t                   i_rdev;
        loff_t                  i_size;
        struct timespec64       i_atime;
        struct timespec64       i_mtime;
        struct timespec64       __i_ctime; /* use inode_*_ctime accessors! */
(略)
```

第8章　ファイルシステムの仕組み

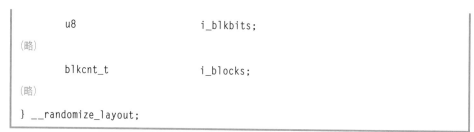

```
        u8                    i_blkbits;
(略)

        blkcnt_t              i_blocks;
(略)

} __randomize_layout;
```

**図2　iノードのデータ構造を定義するコード (抜粋)**
iノードのデータ構造は「include/linux/fs.h」で定義されています。

**表1　iノード内の主なデータ領域 (フィールド) とそこに格納されるデータ**

| フィールド名 | 格納するデータ |
|---|---|
| i_mode | アクセス許可属性 |
| i_uid | ユーザーID |
| i_gid | グループID |
| i_op | ファイル操作用の関数を示す関数ポインタ群 |
| i_sb | ファイルシステムのスーパーブロック (中核的なメタデータ) を示すポインタ |
| i_ino | iノード番号 |
| i_nlink | ハードリンクの数 |
| i_rdev | デバイスを示すメジャー/マイナー番号 |
| i_size | ファイルサイズ |
| i_atime | ファイルが最後にアクセスされた時刻 |
| i_mtime | ファイルのデータが最後に変更された時刻 |
| __i_ctime＊ | ファイルのステータスが最後に変更された時刻 |
| i_blkbits | ブロックサイズを示すビット数 |
| i_blocks | ブロック数 |

＊　従来このフィールドの名前は「i_ctime」でしたが、バージョン6.6以降のカーネルでは、この名前に変更されています。理由は、同フィールド内の未使用領域を今後の拡張で別用途に使うためです。安全性を考慮して、フィールド名を変更したうえで、アクセス用の関数が追加されています。なお、バージョン6.7以降のカーネルでは、「i_atime」「i_mtime」も同様の理由で「__i_atime」「__i_mtime」に変更されています。

　各iノードには、「iノード番号」と呼ばれるファイルシステムごとにユニークな番号が割り振られて、それを使ってファイルとの対応付けを実現しています。

　各ファイルのiノード番号は、-iオプションを付けてlsコマンドを実行すると調べられます (図3)。

```
$ ls -i ⏎
15212605 COPYING        15212612 README    16784121 include   16913860 samples
15212606 CREDITS        16127545 arch      16786882 init       16914123 scripts
15343744 Documentation  16388289 block     16911004 ipc        16914597 security
15212607 Kbuild         16388393 certs     16911018 kernel     16914829 sound
15212608 Kconfig        15212614 conf-def  16911468 lib        17039393 tools
15212609 LICENSES       16388403 crypto    15212613 log        17170776 usr
15212610 MAINTAINERS    16388582 drivers   16911866 mm         17170786 virt
15212611 Makefile       16782101 fs        16911990 net
```

図3　iノード番号の調べ方
ファイル名の左側に表示されるのがiノード番号です。

# 8-2 ファイルの種類

　Linuxのファイルには、通常のファイルのほかに「ディレクトリー」「シンボリックリンク」「キャラクター型特殊ファイル」「ブロック型特殊ファイル」「名前付きパイプ」「ソケット」などの種類があります。

　ファイルの種類は、-lオプション付きでlsコマンドを実行すると調べられます（**図4**）。各行の最初に表示されるファイル属性を示す文字列の先頭の文字がファイルの種類を示します。文字とファイルの種類の対応は**表2**の通りです。

```
sueyasu@ubuntu:~/work$ ls -l ⏎
合計 8
drwxrwxr-x 2 sueyasu sueyasu 4096   7月 16 23:03 sample
-rw-rw-r-- 1 sueyasu sueyasu    6   7月 16 23:04 sample.txt
lrwxrwxrwx 1 sueyasu sueyasu   10   7月 16 23:06 symlink.txt -> sample.txt
```

この部分の文字がファイルの種類を示す

**図4　ファイルの種類の調べ方**
ファイルの種類は、-lオプション付きでlsコマンドを実行すると調べられます。各行の最初に表示される
ファイル属性を示す文字列の先頭の文字がファイルの種類を示します。

**表2　「ls -l」コマンドの出力行の先頭の文字が示すファイルの種類**

| 文字 | ファイルの種類 |
|------|----------------|
| -    | 通常ファイル |
| b    | ブロック型特殊ファイル |
| c    | キャラクター型特殊ファイル |
| d    | ディレクトリー |
| l    | シンボリックリンク |
| p    | 名前付きパイプ |
| s    | ソケット |

　このうち、ディレクトリーとシンボリックリンクについて以下で解説します。なお、ブロック型特殊ファイルとキャラクター型特殊ファイルは、デバイスファイルとして使用するものです。デバイスファイルとソケットについては、第1章を参照してくだ

さい。名前付きパイプについては、第9章を参照してください。

## ディレクトリー

　ディレクトリーは、ファイルやディレクトリーを格納する容器です。Linuxのファイルシステムは、図5のようなツリー状のディレクトリー階層を作成できます。

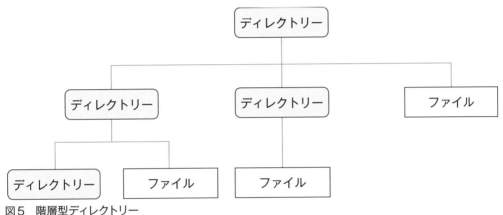

図5　階層型ディレクトリー
Linuxのファイルシステムは、ツリー状のディレクトリー階層を作成できます。

　先述の通り、ディレクトリーも実体はファイルであり、その中には「ディレクトリーエントリー」と呼ばれるデータが記録されます（図6）。ディレクトリーエントリーは、ディレクトリー内にあるファイルやディレクトリーごとに存在し、そこには「名前」「iノード番号」などの情報が格納されます。

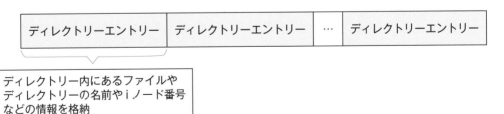

図6　ディレクトリーファイルに記録されるデータ

　アプリケーションやユーザーがファイルにアクセスしてデータを入出力する場合は、①ディレクトリーをたどって目的のファイルが格納されるディレクトリーを特定、②ディレクトリーファイル内にある目的のファイルのディレクトリーエントリーをファイル名を使って特定、③ディレクトリーエントリーにあるiノード番号で目的

とするファイルのiノードを特定、④iノードの情報を使って目的のファイルのデータが記録されている記憶装置内の位置を把握、⑤ファイルに対する入出力処理を実施、といった流れで処理をします[*3]。

　なお、異なるディレクトリーエントリーに同じiノード番号を設定することもできます。それらのディレクトリーエントリーが指し示すファイル同士は、まったく同じ属性やデータを持つことになります。このようなファイルは「ハードリンク」と呼び、lnコマンドを次のように実行すると作成できます[*4]。リンク先ファイルが存在しない場合は、ハードリンクは作成されません。また、ディレクトリーに対するハードリンクは、セキュリティ上の理由から、ユーザー操作では作成できません。

```
$ ln リンク先ファイルのパス名 新規に作成するハードリンクのパス名 ⏎
```

　指定したディレクトリーのディレクトリーエントリーを読み出し、iノード番号とファイル／ディレクトリー名を順次表示するプログラムの例を図7に挙げました。このプログラムを記述したファイルを「dump_dir.c」というファイル名で保存して、次のコマンドを実行すると「dump_dir」というコマンドが生成されます[*5]。

```c
#include <dirent.h>
#include <errno.h>
#include <sys/types.h>
#include <stdio.h>

int main(int argc, char *argv[]) {
  DIR *dir;
  struct dirent *entry;

  if(argc != 2) return 1;
  if((dir = opendir(argv[1])) == NULL) {
    perror("dir open error");
    return 1;
  }
  while ((entry = readdir(dir)) != NULL) {
```

```
    printf("inode=%d filename=%s\n",
            (int)entry->d_ino, entry->d_name);
    }
    closedir(dir);
    return 0;
}
```

**図7 「dump_dir.c」ファイルに記述するコード**
iノード番号とファイル/ディレクトリー名を順次表示するプログラムの例です。

```
$ gcc -o dump_dir dump_dir.c ⏎
```

dump_dirコマンドの実行例を**図8**に挙げました。

```
sueyasu@ubuntu:~$ ./dump_dir work ⏎
inode=13631489 filename=..
inode=22282385 filename=.
inode=22282386 filename=sample
inode=22282390 filename=symlink.txt
inode=22282387 filename=sample.txt
```

**図8 dump_dirコマンドの実行例**
workディレクトリーファイルに格納されているデータを表示した例です。

## シンボリックリンク

　iノード番号とデータの対応付けは、ファイルシステム（ファイルシステムボリューム）ごとに異なります。そのため、iノード番号を使って実現されるハードリンクは、

---

＊3　①と②の処理においてもディレクトリーファイルのデータを読み出すために、③～⑤相当の処理がそれぞれ実施されます。また、処理高速化のためにキャッシュを使う仕組みが導入されているので、毎回①～⑤の処理が実施されるわけではありません。

＊4　前述の通りiノード番号はファイルシステムごとにユニークな番号です。そのため、異なるファイルシステムをまたいでハードリンクを作成することはできません。そうしたリンクを作成したい場合は、後述するシンボリックリンクを使用します。また、ディレクトリーに対するハードリンク作成には若干制限があります。詳しくはlnコマンドのオンラインマニュアルを参照してください。

＊5　コマンドを生成するには開発環境としてCコンパイラやCライブラリのヘッダーファイルなどが必要です。第3章で紹介した手順でカーネルのビルド環境を整えていれば、ほかの準備作業は不要です。

同じファイルシステム内にあるファイルに対してしか作成できません。一方、iノード番号を使わずにリンクを実現するシンボリックリンクには、そうした制限はありません。

　シンボリックリンクは、リンク先ファイル／ディレクトリーのパス名をデータとして格納する特殊なファイルです。シンボリックリンクに対する読み書き処理は、実際にはリンク先のファイルやディレクトリーに対して実施されます（図9）。

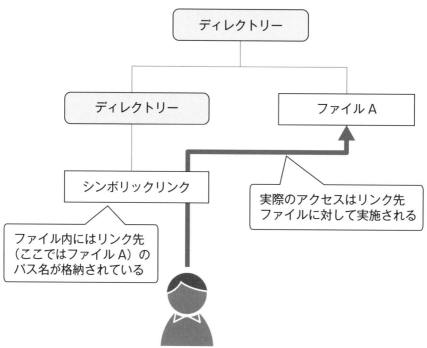

図9　シンボリックリンク
ハードリンクとは異なり、ファイルシステムをまたいだリンクも作成可能です。

　シンボリックリンクは、-sオプション付きでlnコマンドを次のように実行すると作成できます。

```
$ ln -s リンク先ファイル 作成するシンボリックリンクのパス名 ⏎
```

　ハードリンクの場合と異なり、シンボリックリンクはリンク先ファイルが存在しなくても作成できます。また、ディレクトリーに対しても特別な制限なくシンボリックリンクを作成できます。

# 8-3 VFSが処理を共通化する仕組み

第1章で、Linuxのファイルシステムには、異なるファイルシステムに対する処理を共通化するための「VFS」（Virtual File System）という仕組みがあると解説しました。ここでは、VFSが処理を共通化する仕組みの一例を紹介します。

アプリケーションは、ほかのカーネル機能を使う場合と同様に、システムコールを使ってファイルの操作やデータの入出力を実現します。ファイル関連のシステムコールには、データを読み込むのに使用するread()や、データを書き込むのに使用するwrite()などがあります。

これらのシステムコールは、カーネル内にある「sys_システムコール名()」という名前の関数で処理されます。例えば、write()の場合は、VFS層のコード（fs/read_write.c）で定義されているsys_write()という関数（**図10**）で処理されます。

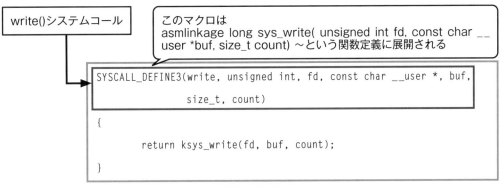

図10　write()システムコールはsys_write()関数で処理される
sys_write()関数の定義は「fs/read_write.c」ファイル中にあります。

sys_write()関数を起点に、同じファイル中にあるksys_write()関数、vfs_write()関数が順次呼び出されます（**図11**）。そして最終的には、vfs_write()関数内で、各ファイルごとに定義されているファイル構造体と呼ばれるデータ中にある、ファイル操作用の構造体内の「write」という**関数ポインタ**\*に設定されているアドレスの関数を呼び出します\*6。

--------

【関数ポインタ】関数のアドレスを格納する変数。「関数ポインタ名()」の形で、格納したアドレスの関数を実行できます。

\*6　ほとんどのファイルシステムでは、writeの代わりに非同期I/Oに対応する「write_iter」という関数ポインタを用意しています。そうしたファイルシステムを使っている場合は、さらにいくつかの関数を経て、write_iterに設定されている関数が呼び出されます。

fs/read_write.c

```
(略)

ssize_t vfs_write(struct file *file, const char __user *buf, size_t count, ➡
loff_t *pos)

{
        if (file->f_op->write)
                return file->f_op->write(file, buf, count, pos);
        else if (file->f_op->write_iter)
                return new_sync_write(file, buf, count, pos);

(略)

}

(略)

ssize_t ksys_write(unsigned int fd, const char __user *buf, size_t count)

{

(略)

        ret = vfs_write(f.file, buf, count, ppos);

(略)

}


SYSCALL_DEFINE3(write, unsigned int, fd, const char __user *, buf,
                size_t, count)

{
        return ksys_write(fd, buf, count);
}

(略)
```

ファイル操作用の構造体に
「write」というメンバー関数
があれば、それを呼び出す

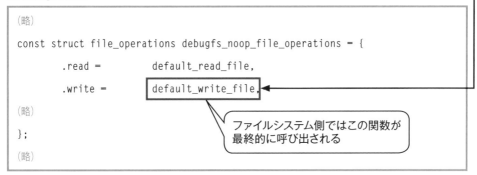

fs/debugfs/file.c

```
（略）

const struct file_operations debugfs_noop_file_operations = {
        .read =        default_read_file,
        .write =       default_write_file,
（略）
};
（略）
```

ファイルシステム側ではこの関数が
最終的に呼び出される

**図11　ファイル操作用のメンバー関数が呼び出される流れ**
デバッグなどの目的でカーネル空間とユーザー空間でデータをやり取りするためのファイルシステム
「debugfs」を使用した場合の例です。

　ファイル操作用の構造体内の関数ポインタの値は、各ファイルシステムのコード
で設定されています。例えば、デバッグなどの目的でカーネル空間とユーザー空間
でデータをやり取りするためのファイルシステム「debugfs」では、ファイル操作用
の構造体が「fs/debugfs/file.c」ファイル内で複数定義されています。その一つが図
11に抜粋した部分です。ここでwriteという関数ポインタにdefault_write_file()関数
のアドレスが設定されているため、その構造体が参照されるケースでは、最終的に
default_write_file()関数が呼び出されます[7]。

　このような呼び出し方をすることで、ファイルシステムの違いを吸収して、共通
のシステムコールでファイルの操作やデータの入出力を実現できるようになってい
ます。

第8章　ファイルシステムの仕組み

---

[7]　ちなみに、このdefault_write_file()関数は、書き込もうとしたデータのサイズを返すだけで、ほかには何もしませ
ん。

# 8-4 ext4が安全性を保つ仕組み

　最近のLinuxディストリビューションの多くは「ext4」というファイルシステムを採用しています。ext4は、Linux用のファイルシステムとして開発された「ext」系列の最新ファイルシステムです。

　ext4は、ファイルシステムの安全性を保つための「ジャーナリング」と呼ばれる仕組みを備えています。ここでは、ext4の概要やジャーナリングの仕組みなどについて紹介します。

## ext系列のファイルシステムの変遷

　最初に、ext4が登場するまでのext系列のファイルシステムの変遷を解説します。

　初期のLinuxカーネルは、MINIXというOSの上で開発されていました。その経緯もあり、初期のLinuxカーネルがサポートするファイルシステムは、MINIXで使われている「MINIX file system」だけでした。しかし当時のMINIX file systemには、ファイル名が最大14文字（もしくは30文字）、ファイルシステムやファイルの最大サイズが64Mバイト、ファイルの更新時刻（mtime）しか記録できない、といった制限がありました* 8。

　そこで、MINIX file systemを拡張した「ext」というファイルシステムが1992年に開発され、バージョン0.96bのLinuxカーネルに追加されました。extは「extended」を意味します。 extでは、ファイル名が最大255文字、ファイルシステムやファイルの最大サイズが2Gバイトに拡大されました。しかし、ファイルに関する時刻情報は相変わらずmtimeだけで、最終アクセス時刻などは記録できませんでしたし、処理性能上の問題も抱えていました。

　extの問題を解決するために、1年もしないうちに改良版の「ext2」と「xiafs」という二つのファイルシステムが開発され、バージョン0.99.7のLinuxカーネルに追加されました。この両者はLinuxの標準ファイルシステムの座をしばらく争っていましたが、最終的にはext2が勝利しています。ext2は、UNIX系OSの一つである「BSD」（Berkeley Software Distribution）のファイルシステム（BSD FFS）を参考に開発されていて、UNIX系OSに必要な機能を一通り備えていました。そのため、後継の「ext3」が開発されるまで、比較的長い期間使われていました。

ext3は、ext2に「ジャーナリング」と呼ばれる仕組みを追加したファイルシステムです。2001年にバージョン2.4.15のLinuxカーネルに追加されました。ジャーナリングとは、ファイルシステムに変更を加える前に、その変更内容を記した「ジャーナル」と呼ばれるログデータを不揮発性のある記憶装置に記録する方式です。ジャーナリングによって、停電などによるファイルシステム破損の危険を低減できます。ジャーナリングの詳細については後述します。

### 大きなサイズのファイルを効率的に扱えるext4

　2006年にリリースされたバージョン2.6.19のLinuxカーネルに追加されたext4は、ext3を改良して、大きなサイズのファイルを効率的に扱えるようにしたものです。

　ext3が大きなファイルを効率的に扱えないのは、4Kバイトなどの小さな固定長ブロック単位でファイルを管理するからです。ブロックサイズが4Kバイトだとすると、128Mバイトのファイルの場合は約3万3000個のブロックに分割して管理しなければなりません。

　多数のブロックを管理するとなると、ブロック管理用の情報が増えて、主メモリーやハードディスクドライブなどの記憶領域を無駄に消費します。また、ブロック管理用情報を参照したり、管理したりする処理に時間がかかることになって、ファイル処理性能も低下します。ハードディスクドライブなどの記憶装置の大容量化が進んだことや、動画などの大きなデータを扱うことが増えたことでファイルサイズが肥大化する傾向がある中、問題は次第に深刻化していました。

　ext4では、ファイルを「エクステント」と呼ばれる単位で管理することで、この問題を低減しました（**図12**）。エクステントとは、連続した任意の数のブロックを一まとめにしたものです。

---

＊8　これらの制限はバージョン1.x系のMINIXのMINIX file systemのものです。最新版のバージョン3.x系のMINIXでは、これらの制限は緩和、あるいは解消されています。

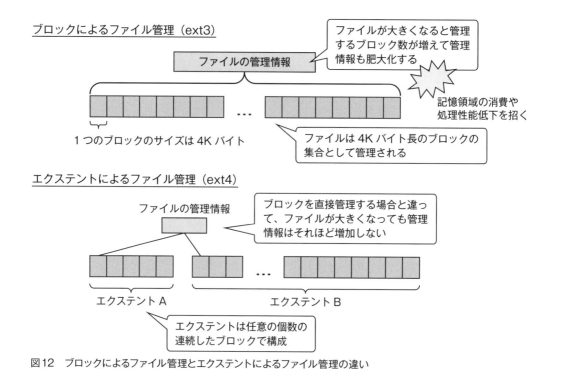

ブロックによるファイル管理（ext3）

ファイルの管理情報

ファイルが大きくなると管理するブロック数が増えて管理情報も肥大化する

記憶領域の消費や処理性能低下を招く

1つのブロックのサイズは4Kバイト

ファイルは4Kバイト長のブロックの集合として管理される

エクステントによるファイル管理（ext4）

ファイルの管理情報

ブロックを直接管理する場合と違って、ファイルが大きくなっても管理情報はそれほど増加しない

エクステント A

エクステント B

エクステントは任意の個数の連続したブロックで構成

図12　ブロックによるファイル管理とエクステントによるファイル管理の違い

　エクステントを使えば、サイズの大小にかかわらずファイルを効率的に管理できます。例えば前述の128Mバイトのファイルの場合は、連続した約3万3000個のブロックで構成されるエクステントが一つあれば管理できます。管理情報が少なくなれば、記憶領域の無駄も性能低下も抑えられます。

　エクステントに基づくデータの管理のほかにも、ext4にはさまざまな機能強化が施されています。例えば、キャッシュデータが実際にディスクに書き出されるタイミングまで記憶装置上の空き領域の確保を遅らせることで、記憶装置上のデータ配置の無駄を低減する「遅延アロケーション」機能の追加や、ナノ秒単位の時刻記録、ジャーナルデータの破損検証用のチェックサム付加機能の追加などが挙げられます。また、ext3と同様にジャーナリングの仕組みを備えています。

## ext3／ext4のジャーナリング

　前述の通り、ext3とext4にはジャーナリングと呼ばれる仕組みが備わっています。
　ジャーナリングの仕組みがないext2のようなファイルシステムでは、ファイルやファイルの管理用データ（メタデータ）の変更中に停電などによって処理が中断す

ると、ファイルやファイルシステムが破損する危険がありました。

　この問題を解決する手段の一つがジャーナリングです。ジャーナリングに対応するファイルシステムでは、**図13**の手順でデータの変更処理を実施します。こうしておけば、どの段階で処理が中断しても、データが中途半端に変更されて破損することはありません。例えば、①の処理が中断した場合は、次回起動時に不完全なジャーナルが削除され、変更処理そのものがキャンセルされます。②の処理が中断した場合は、ジャーナルの情報を使って次回起動時に処理を再開できます。③の処理が中断して不完全なジャーナルが残った場合は、次回起動時にそれが削除されます。完全なジャーナルが残っている場合は、②と同じです。

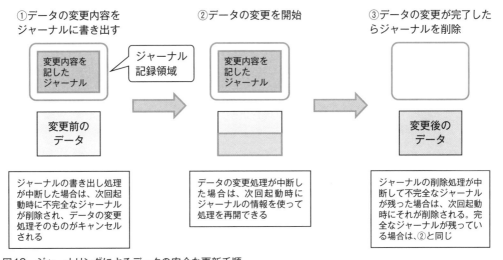

**図13　ジャーナリングによるデータの安全な更新手順**
どの段階で処理が中断しても、データが中途半端に変更されて破損することはありません。

　ext3とext4には、**表3**の三つのジャーナリングモードが用意されています。ジャーナリングモードは、ファイルシステムのマウント時に「data=ジャーナリングモード」の書式のオプションを指定することで選択できます。例えば、「/dev/sdb1」というデバイスファイルが示すディスク区画にあるext4ファイルシステムを、journalモードで「/mnt」にマウントするには、次のコマンドを実行します。

```
$ sudo mount -t ext4 -o data=journal /dev/sdb1 /mnt ⏎
```

無指定の場合は、orderedモードが選択されたとみなします。

表3　ext3／ext4の三つのジャーナリングモード

| ジャーナリングモード | 保護されるデータ | 説明 |
| --- | --- | --- |
| writeback | メタデータ | メタデータだけをジャーナリングで保護する動作モード。XFSやJFSなど他のジャーナリングファイルシステムと同等の動作 |
| ordered | メタデータ | ファイルデータの変更が完了してからメタデータを変更するという処理順序を保証することで、メタデータが不正なデータを指し示すことがないようにする。ただしデータはジャーナリングで保護されないので、処理中断による破損があり得る |
| journal | メタデータ、データ | メタデータもデータもジャーナリングで保護する動作モード。すべてのデータがストレージに2回書き込まれることになるので入出力速度は一番遅い |

　writebackモードとorderedモードは、メタデータの更新処理に対してだけジャーナリングを使用します。一方、journalモードは、メタデータに加えてファイルデータの更新処理に対してもジャーナリングを使用します。

　最も安全性が高いのはjournalモードです。しかし、すべての更新データを2回書き込む必要があるので、処理速度の面でやや不利です。

　なお、orderedモードでは、ファイルのデータを更新してからメタデータ更新用のジャーナルを書き出します。この順序を保つことで、メタデータだけが更新されて一見ファイルが書き換わったように見えるが、ファイルのデータが古いまま（あるいは中途半端に書き換えられた状態）になるというwritebackモードで生じる危険を避けられます。ただし、ファイルのデータの更新中に処理が中断すると、ファイルが中途半端に書き換えられた状態になってしまいます。

## journalモードの動作を確認

　ext2／ext3／ext4ファイルシステムの調査用コマンド「debugfs」を使うと、まだ消去されていないジャーナルのデータを閲覧できます＊9。ジャーナルのデータを閲覧するには、debugfsコマンドの実行後に「logdump」サブコマンドを実行します。

　カレントディレクトリーにサイズ100Mバイトのイメージファイルを作成してext4ファイルシステムで初期化したうえで、それをjournalモードでマウントして試してみましょう。それには、図14のようにコマンドを実行します。

```
$ dd if=/dev/zero of=hdd.img bs=1M count=100 ⏎

$ mkfs.ext4 hdd.img && mkdir mnt ⏎

$ LODEV=$(sudo losetup --find --show hdd.img) ⏎

$ sudo mount -t ext4 -o data=journal $LODEV mnt ⏎

$ sudo cp カーネルソースツリーのトップディレクトリー/README mnt ⏎

$ sudo debugfs $LODEV ⏎

(略)

debugfs: logdump -ac ⏎

(略)

 FS block 24576 logged at journal block 11 (flags 0xa)
```

| | |
|---|---|
| 0000: | 756e694c 656b2078 6c656e72 3d3d3d0a Linux kernel.=== |
| 0010: | 3d3d3d3d 3d3d3d3d 540a0a3d 65726568 =========..There |
| 0020: | 65726120 76657320 6c617265 69756720  are several gui |
| 0030: | 20736564 20726f66 6e72656b 64206c65 des for kernel d |
| 0040: | 6c657665 7265706f 6e612073 73752064 evelopers and us |
| 0050: | 2e737265 65685420 67206573 65646975 ers. These guide |
| 0060: | 61632073 65620a6e 6e657220 65726564 s can.be rendere |
| 0070: | 6e692064 6e206120 65626d75 666f2072 d in a number of |
| 0080: | 726f6620 7374616d 696c202c 4820656b  formats, like H |
| 0090: | 204c4d54 20646e61 2e464450 656c5020 TML and PDF. Ple |
| 00a0: | 20657361 64616572 636f440a 6e656d75 ase read.Documen |
| 00b0: | 69746174 612f6e6f 6e696d64 6975672d tation/admin-gui |
| 00c0: | 522f6564 4d444145 73722e45 69662074 de/README.rst fi |

(略)

**図14　ジャーナルの内容を確認した例**
イメージファイル（hdd.img）上に作成したext4ファイルシステムをjournalモードでマウントし、そこに
Linuxカーネルの「README」ファイルをコピーしてから、ジャーナルのデータを調べた様子です。コピー
したファイルのデータがジャーナルに記録されていることが分かります。

　journalモードでext4ファイルシステムをマウントしている場合、図14の下のよ
うにファイルに書き込んだデータが表示されるはずです。

---

＊9　ジャーナルデータは、メタデータやデータの更新後すぐに削除されるわけではありません。一旦無効化されてから、
　　　別のタイミングに削除されます。

## 8-5 Btrfsが安全性を保つ仕組み

　2009年にバージョン2.6.29のLinuxカーネルに追加された「Btrfs」は、データの安全性を保つための仕組みを複数備え、さらに柔軟なストレージ管理やボリューム管理が可能な多機能ファイルシステムです。

　ここでは、Btrfsが採用する「COW」（Copy on write）と呼ばれるデータ更新方式や、データの破損を検知して自動修正する仕組みについて紹介します。

### COW方式で安全なデータ変更を実現

　Btrfsの最大の特徴は、「COW」（Copy on write）方式のデータ書き換えをする点です。COW方式では、データを書き換える際には、元のデータをコピーしてから、そのコピーに対して変更を加えます（**図15**）。そして、コピーに対する変更が完了してから、ファイルのメタデータが示す参照先を、元のデータ領域からコピー先のデータ領域に付け替えます。こうすることで、処理のどのタイミングでシステムが停止してしまっても、データが中途半端に書き換えられる心配がありません。

**ファイルの元のデータ構成**

どのフェーズで処理が中断してもデータは元の状態か、変更後の状態のいずれかに保たれる。中途半端な書き換えによるデータ破損が生じないので安全

**データ更新時の処理**

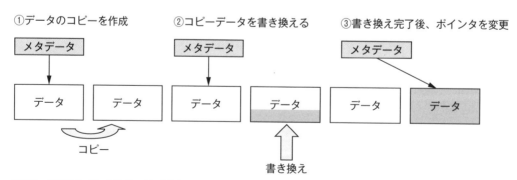

①データのコピーを作成　②コピーデータを書き換える　③書き換え完了後、ポインタを変更

図15　COW方式によるデータ更新手順

Btrfsでは、ファイルのデータもメタデータもCOW方式で変更します。そのため、ジャーナリングを使わなくても同等の安全性を確保できます。

Btrfsでは、ext4と同様にエクステント単位でファイルのデータを管理します。さらにext4とは異なり、ファイルのメタデータについてもエクステント単位で管理します。そして、それらのエクステントは、**図16**のようなツリー構造（B-tree）で管理します[*10]。Btrfsの名前は「B-tree File System」に由来します。

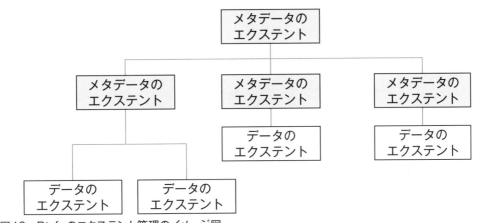

**図16　Btrfsのエクステント管理のイメージ図**
メタデータやデータのエクステントをツリー構造で管理します。

ツリー構造でファイルシステム全体を管理し、さらにCOW方式でデータを更新するBtrfsには、過去のデータが残りやすいという特徴があります。これを生かして、ある時点でのファイルシステム状態を保持し続ける「スナップショット」機能も実装されています（**図17**）。

---

*10　図16は簡略化した図です。実際のデータ構造とは異なります。

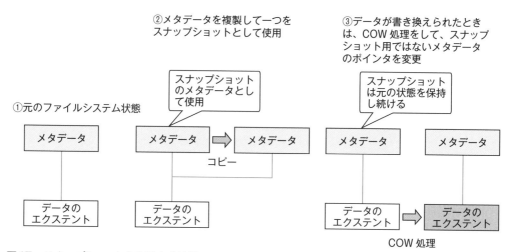

②メタデータを複製して一つを
スナップショットとして使用

③データが書き換えられたとき
は、COW処理をして、スナップ
ショット用ではないメタデータ
のポインタを変更

①元のファイルシステム状態

**図17 スナップショットを実現する仕組み**
Btrfsでは、ある時点でのファイルシステム状態を保持し続ける「スナップショット」を容易に作成できます。

実際にBtrfsのファイルのデータがエクステントで管理されているのか、また
COW方式でデータが更新されるのかを、Btrfsのファイルの構成を可視化できる
「extent-info.py」（https://github.com/t-msn/btrfs-vis）というツールで調べてみま
しょう。AlmaLinux OS 9はBtrfsの利用環境を整えるのに手間がかかるため、この
調査はUbuntu 24.04 LTSで実施してください。

まず、次のコマンドを実行して、調査に必要なソフトウエアの入手とBtrfsファイ
ルシステムの準備をします。

```
$ sudo apt install btrfs-progs git python3-btrfs python3-graphviz ⏎
$ dd if=/dev/zero of=hdd.img bs=1M count=200 ⏎
$ mkfs.btrfs hdd.img && mkdir mnt ⏎
$ LODEV=$(sudo losetup --find --show hdd.img) ⏎
$ sudo mount -t btrfs $LODEV mnt ⏎
$ sudo chown ${USER}: mnt && cd mnt ⏎
$ git clone https://github.com/t-msn/btrfs-vis ⏎
```

続いて、次のコマンドを実行します。これは、ランダムなデータを持つ「sample.
dat」ファイルを作成し、extent-info.pyスクリプトで可視化するコマンドです。

```
$ dd if=/dev/urandom of=sample.dat bs=4096 count=100 ⏎

$ sync ⏎

$ sudo python3 btrfs-vis/extent-info.py sample.dat ⏎
```

　可視化結果は、カレントディレクトリーに「extent-info.png」というPNG画像ファイルで出力されます。内容は**図18**①のようなものになります。

①作成直後のファイルの構成　　　②先頭の4バイトを書き換えた後のファイルの構成

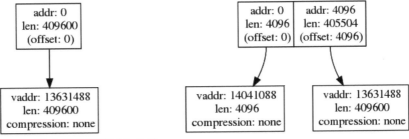

図18　Btrfsのファイルの構成を可視化した例
「extent-info.py」というPythonスクリプトで可視化した例です。「vaddr」の数値は環境によって変化します。

　続いて、次のコマンドを実行して、sample.datファイルの先頭4バイトを「AAAA」というデータに書き換えてから再度可視化します。コマンドを実行すると、「extent-info.png」ファイルは上書きされるので注意してください。

```
$ echo -n "AAAA" | dd of=sample.dat conv=notrunc ⏎

$ sync ⏎

$ sudo python3 btrfs-vis/extent-info.py sample.dat ⏎
```

　変更後のsample.datをextent-info.pyスクリプトで可視化した様子は図18②の通りです。COW処理によって先頭に新しい4Kバイトのエクステント（つまり一つのブロック）が割り当てられていることと、既存のエクステントの参照開始位置（オフセット）が1ブロック分後方にずれていることが分かります。

### チェックサムで破損を検知して自動修復
　さらにBtrfsでは、エクステントを管理するメタデータ内にデータ変更検出用の

チェックサム情報を記録します。これによって、エクステントのデータが破損していないかどうかをチェックできます。ext3やext4などの従来のLinux向けファイルシステムではこうしたチェックができず[11]、宇宙線などの影響で記憶装置上のデータが気づかない間に破損する「サイレントクラッシュ」の危険がありました。

　Btrfsでは、入出力処理のたびにエクステントのチェックサムを計算し、それを記録されているチェックサムと突き合わせます。チェックサムに不一致があれば、データが破損したと判断して、冗長記録されているデータを使って自動修復します（**図19**）。Btrfsは、メタデータについては既定で2箇所に冗長記録します。ファイルのデータについても設定次第で冗長記録できます。

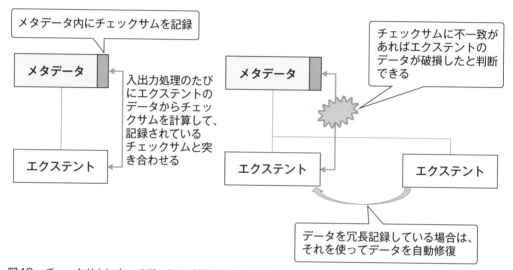

**図19　チェックサムによってデータの破損を検知・修復できる**
Btrfsでは、入出力処理の対象となるエクステントのチェックサムを処理のたびにチェックします。破損データが見つかった場合は、冗長記録されているデータを使って自動修復します。

　なお、データを冗長記録していない場合も「データが破損したこと」自体は検知できるので、データが破損したことに気づかないまま重要な処理をする危険は回避できます。

　またBtrfsでは、記録済みの全データの検証と修復を行う「scrub」処理が可能です。定期的にscrub処理を実施することで、データ破損を未然に防止できます。

---

# 第9章

# プロセス間通信の仕組み

Linux カーネルは、プロセス間通信の仕組みを複数備えています。主なものには「シグナル」「パイプ」「IPC メッセージキュー」「IPC 共有メモリー」「ソケット」「セマフォ」などがあります。本章では、それらを概説した上で、「シグナル」と「パイプ」の二つについては、どのように実現されているのかについて詳しく解説します。

## 9-1 プロセス間通信（IPC）とは

　プロセスは、情報の受け渡しや動作の同期、制御のために、ほかのプロセスと通信することがあります。例えば、**図1**の①に示すように、プロセス同士で連携した処理をするためにデータを受け渡したり、別のプロセスの動作を制御するための情報（シグナル）を送信したりします。また、図1の②に示すように、資源のアクセス制御のための情報をプロセス間で共有するケースもあります。

①データを受け渡したり、シグナルを通知したりする場合

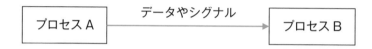

②資源のアクセス制御などに使う情報を共有して操作する場合

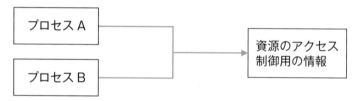

図1　プロセス同士の通信が生じる例

　そうしたプロセス同士の通信のことを「プロセス間通信（Inter Process Communication）」（以下、IPC）と呼びます。

　Linuxを含むUNIX系OSには一般に、IPCを実現するための仕組みが複数存在します。主なものには「シグナル」「パイプ」「IPCメッセージキュー」「IPC共有メモリー」「ソケット」「セマフォ」などがあります。以下では、それぞれを簡単に紹介します。

### シグナル

　シグナルは、プロセスにイベントの発生を通知するための仕組みです。各イベントに対応するシグナルが用意されており、それをプロセスに伝えます。プロセスにシグナルが送られると、カーネルがそれに応じた処理をします。

　シグナルには、「terminate（終了）」「ignore（無視）」「coredump（終了とコアダ

206

ンプ生成）」「stop（停止）」のいずれかの標準動作が定義されています。例えば、「SIGTERM」というシグナルの標準動作は「terminate」です。SIGTERMシグナルをプロセスに送ると、カーネルはそのプロセスを終了させます。

標準動作とは異なる動作をさせることも可能です。それには、シグナルが送信された場合の処理を定義する「シグナルハンドラー」をプロセス側で設定します。シグナルハンドラーの設定には、rt_sigaction()システムコールを使います。

バージョン6.6系のLinuxカーネルでは、30種類を超えるシグナルを利用できます。利用できるシグナルについては「man 7 signal」コマンドを実行して表示されるマニュアルを参照してください。

各シグナルには、シグナル番号と呼ばれる整数値が割り当てられます。「1」から「31」までの整数値が割り当てられるシグナルを「標準シグナル」、「32」から「64」までの整数値が割り当てられるシグナルを「リアルタイムシグナル」と呼びます。

標準シグナルに比べて、リアルタイムシグナルには、複数のシグナルを送受信できるなどの拡張が加えられています。また、シグナルごとに用途が定められている標準シグナルとは異なり、すべてのリアルタイムシグナルの用途はユーザーが定義するという違いもあります。

## パイプ

パイプは、あるプロセスから別のプロセスにデータを受け渡すためのバッファーです。パイプに書き込んだデータは、先入れ先出し（FIFO*）方式で処理されます。最初に書き込んだデータから先に読み出されるので、「ABCDE」という順に書き込んだデータは、「ABCDE」という順序で読み出されます。一度読み出されたデータは、パイプから削除されます。

コマンド1の出力をコマンド2の入力として扱う場合、次のようにそれらのコマンドを実行します。

```
$ コマンド1 | コマンド2 ⏎
```

このとき、コマンド1のプロセスとコマンド2のプロセスの間でのデータの受け渡

[FIFO] First-In, First-Outの略。

207

しに使われるのがパイプです。

パイプは、Linux カーネルではファイルシステムの一種（pipefs）として実装されています。ファイル名を持たずに特定のプロセス間だけで使われる「無名（匿名）パイプ」と、ファイル名を持ち、不特定多数のプロセス間で利用できる「名前付きパイプ」の2種類があります。名前付きパイプのファイルは「FIFO ファイル」とも呼ばれます。

### IPC メッセージキュー

IPC メッセージキューは、パイプと同様にプロセス間でデータを受け渡すための仕組みです。単純なバイト列を受け渡すパイプとは異なり、IPC メッセージキューでは、型や構造を持つデータ（メッセージ）を受け渡せます。また、受け渡すメッセージに優先度を設定することも可能です。

### IPC 共有メモリー

IPC 共有メモリーは、複数のプロセス間で同じメモリー領域を共有するための仕組みです。共有したメモリー領域にデータを書き込むことで、プロセス間で（コピーなどの処理をせずに）データを高速に受け渡せます。

### ソケット

ソケットは、パイプや IPC メッセージキューと同様にプロセス間でデータを受け渡すための仕組みです。パイプと IPC メッセージキューはコンピュータ内部でのデータの受け渡しにしか利用できないのに対し、ソケットを使うと、コンピュータ内部だけでなく、異なるコンピュータで稼働するプロセス同士でデータを受け渡せます。また、双方向通信も可能です。ソケットについては、1-8 節でも触れています。

### セマフォ

セマフォは、正の整数値を格納するバッファーです。セマフォに対してできるのは、値を「1」ずつ増減する操作だけです。セマフォの値がすでに「0」の場合には、セマフォの値を減らす操作は、値が「0」より大きくなるまでブロックされます。

セマフォを利用することで、複数のプロセスが資源を安全に共有できます。例えば、同時に10個までのプロセスからしか利用できない資源Aがあったとします。このと

き「10」という数値を書き込んだセマフォ A を用意し、セマフォ A の値を「1」減らす操作に成功したプロセスにだけ資源 A を利用する許可を与えるようにすれば、制限を超えることなく安全に資源 A を利用できます*1。

　ファイル名を持たない「無名（匿名）セマフォ」と、ファイル名を持つ「名前付きセマフォ」の2種類があります。

*1　プロセスが資源 A の利用をやめる場合には、セマフォ A の値を「1」増やします。

シグナルは、次のようなインタフェースを持つkill()システムコールを利用することで送信できます。

```
int kill(pid_t pid, int sig);
```

最初の引数にシグナルの宛先となるプロセスのプロセスID、2番目の引数に送信するシグナルのシグナル番号を指定して実行します。戻り値が「0」なら送信成功、「-1」であればエラーです。

kill()システムコールは、カーネル内にあるsys_kill()関数で処理されます。sys_kill()関数は、「kernel/signal.c」ファイルで図2のように定義されています。

```
/**
 *  sys_kill - send a signal to a process
 *  @pid: the PID of the process
 *  @sig: signal to be sent
 */
SYSCALL_DEFINE2(kill, pid_t, pid, int, sig)
{
        struct kernel_siginfo info;

        prepare_kill_siginfo(sig, &info);

        return kill_something_info(sig, &info, pid);
}
```

> このマクロはasmlinkage long sys_kill(pid_t pid, int sig) 〜 という関数定義に展開される

図2　sys_kill()関数の定義コード
「kernel/signal.c」ファイル内でこのように定義されています。

特定のプロセスにシグナルを送信するコマンドに「kill」があります。例えば、SIGTERMシグナルをプロセスID「255」のプロセスに送るには、次のようにkillコ

マンドを実行します。

```
$ sudo kill -SIGTERM 255 ⏎
```

　killコマンドを実行した際には、kill()システムコールが発行されます。

　送信されたシグナルは、宛先プロセスのタスク構造体で示される、**保留シグナル**\*用のキューに登録されます。

### シグナルが処理される流れ

　宛先プロセスのキューに登録されたシグナルは、そのプロセスが何らかの理由でカーネルモードに移行した後、再度ユーザーモードに戻る直前にカーネルによって処理されます。

　例えば、システムコールによってカーネルモードに移行する場合を見てみましょう。システムコールは、「arch/x86/entry/common.c」ファイルで**図3**のように定義されるdo_syscall_64()関数を通じて呼び出されます。do_syscall_64()関数の最後に実行されるsyscall_exit_to_user_mode()関数は、「kernel/entry/common.c」ファイルで定義されています。記述を追いかけると、いくつかの関数を経て、同じファイルで定義されるexit_to_user_mode_loop()関数を呼び出すことが分かります。

```
__visible noinstr void do_syscall_64(struct pt_regs *regs, int nr)
{
        add_random_kstack_offset();
        nr = syscall_enter_from_user_mode(regs, nr);


        instrumentation_begin();


        if (!do_syscall_x64(regs, nr) && !do_syscall_x32(regs, nr) && nr != -1) {
                /* Invalid system call, but still a system call. */
                regs->ax = __x64_sys_ni_syscall(regs);
        }
```

このif文でシステムコールが呼び出される

---

【保留シグナル】処理される前のシグナルのこと。

```
        instrumentation_end();
        syscall_exit_to_user_mode(regs);    ← システムコール終了
                                              後に実行される
}
```

図3　do_syscall_64()関数の定義コード
「arch/x86/entry/common.c」ファイル内でこのように定義されています。

　システムコール以外によってカーネルモードに移行した場合にも、同様に、ユーザーモードに戻る直前にexit_to_user_mode_loop()関数が呼び出されます。

　exit_to_user_mode_loop()関数には、図4のようなコードがあります。これによって、プロセスのタスク構造体に、保留シグナルが存在することを示す「_TIF_SIGPENDING」というフラグが設定されている場合に、シグナル処理用のarch_do_signal_or_restart()関数が実行されます。arch_do_signal_or_restart()関数は、「arch/x86/kernel/signal.c」ファイルで定義されています。

```
static unsigned long exit_to_user_mode_loop(struct pt_regs *regs,
                                            unsigned long ti_work)
{
(略)

        while (ti_work & EXIT_TO_USER_MODE_WORK) {    ← シグナル処理に
                                                        関係するコード
(略)

                if (ti_work & (_TIF_SIGPENDING | _TIF_NOTIFY_SIGNAL))
                        arch_do_signal_or_restart(regs);

(略)

}
```

図4　exit_to_user_mode_loop ()関数の定義コード（抜粋）
「kernel/entry/common.c」ファイル内でこのように定義されています。

　このarch_do_signal_or_restart()関数からは、get_signal()とhandle_signal()の二つの関数が呼び出されます。

　シグナルハンドラーが設定されていないシグナルの場合は、get_signal()関数によって標準動作の処理が実施されます。シグナルハンドラーが設定されているシグナルの場合は、handle_signal()関数によって、それが実行されます。

## シグナルの標準動作を変更

　シグナルの理解を深めるために、カーネルのソースコードを書き換えて「SIGSTKFLT」というシグナルの標準動作を変更してみます。

　SIGSTKFLTは、CPUを補助するプロセッサ（コプロセッサ）のスタックフォールトを通知するためのシグナルですが、現在は使われていません。このシグナルの標準動作は「terminate」です。そのため、次のようにkillコマンドを実行すると、指定したプロセスIDのプロセスは終了します。

```
$ sudo kill -SIGSTKFLT プロセスID ⏎
```

　この標準動作を何もしない「ignore」に変更してみましょう。

　シグナルの標準動作は、「include/linux/signal.h」ファイルで定義される定数の値で決まります。具体的には、SIG_KERNEL_STOP_MASK定数の値によって標準動作が「stop」のシグナルが、SIG_KERNEL_COREDUMP_MASK定数の値によって標準動作が「coredump」のシグナルが、SIG_KERNEL_IGNORE_MASK定数の値で標準動作が「ignore」のシグナルが決まります。そして、これら三つの定数で指定されていないシグナルの標準動作は「terminate」になります。

　そのため、SIGSTKFLTシグナルの標準動作を「ignore」にするには、**図5**に示すようにinclude/linux/signal.hファイルの内容を書き換えます。

```
#define SIG_KERNEL_IGNORE_MASK (\
        rt_sigmask(SIGCONT)    | rt_sigmask(SIGCHLD)   | \
        rt_sigmask(SIGWINCH)   | rt_sigmask(SIGURG)      )
```

```
#define SIG_KERNEL_IGNORE_MASK (\
        rt_sigmask(SIGCONT)    | rt_sigmask(SIGCHLD)   | \
        rt_sigmask(SIGWINCH)   | rt_sigmask(SIGURG)    | \
        rt_sigmask(SIGSTKFLT)  )
```

図5　SIGSTKFLTシグナルの標準動作を「ignore」に変更
「include/linux/signal.h」ファイル内の該当部分をこのように書き換えます。

書き換え後にカーネルをビルドします。ビルド手順は第3章を参照してください。ビルド後、そのカーネルでUbuntu 24.04 LTSまたはAlmaLinux OS 9を起動し、次のようにkillコマンドを実行してください。

```
$ sudo kill -SIGSTKFLT プロセスID ⏎
```

　今度は、指定したプロセスIDのプロセスは終了しません。標準動作が変更されたことが分かります。

## 9-3 パイプの仕組み

　前述したように、Linuxカーネルでは、パイプは「pipefs」という特殊なファイルシステムのファイルとして実装されています（**図6**）。pipefsのファイルのデータは、HDDやSSDなどのディスクではなく、主メモリー上に確保した一時記憶領域（バッファー）に格納されます。

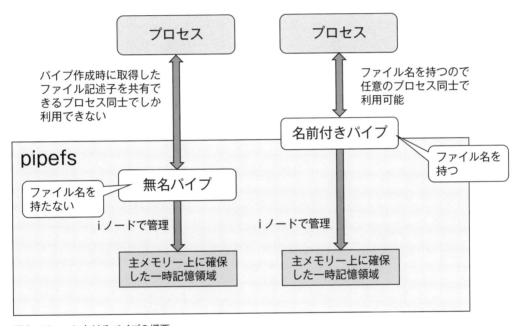

図6　Linuxにおけるパイプの概要

　パイプは、通常のファイルと同様にデータをiノードで管理します。そのため、各パイプにはiノード番号が割り当てられます。

　9-1節で紹介した通り、パイプには、ファイル名を持たない無名（匿名）パイプと、ファイル名を持つ名前付きパイプ（FIFOファイル）の2種類があります。両者の違いは、ファイルというインタフェースを持つかどうかと、また、それによってアクセス方法が異なることです。

　無名パイプは、パイプ作成時に取得した**ファイル記述子**＊（ファイルディスクリ

【ファイル記述子】アクセス対象となるファイルや、そのアクセス状態などを示すデータを識別するための整数値。

プター）を共有できるプロセス同士でしか利用できません。通常は、親子関係にある（または親が同じ）プロセス同士のデータのやり取りに用いられます。

一方、名前付きパイプはファイル名を持ち、通常のファイルと同様に任意のプロセスからアクセス可能です。そのため、親子関係の有無にかかわらず、任意のプロセス同士でデータをやり取りできます。

両者は、作成するためのシステムコールも異なります。ただし、カーネル内部における実装は、ほぼ同じです。

### 無名パイプの作成とアクセス

無名パイプは、次のようなインタフェースを持つpipe()システムコールで作成できます*2。

```
int pipe(int pipefd[2]);
```

引数に指定した配列には、二つのファイル記述子が格納されます。最初のpipefd[0]はパイプからデータを読み出すための、次のpipefd[1]はパイプにデータを書き込むためのファイル記述子です。

シェルで、パイプを使う次のようなコマンドを実行したとします。

```
$ echo "123" | less ⏎
```

この場合、シェルはまず、pipe()システムコールを実行して無名パイプを作成します。そして、pipefd[1]の値をechoコマンドのプロセスの標準出力のファイル記述子「1」に関連付け、pipefd[0]の値をlessコマンドのプロセスの標準入力のファイル記述子「0」に関連付けます（図7）。それによって、echoコマンドが標準出力を通じて出力したデータはパイプに書き込まれ、lessコマンドはパイプのデータを標準入力を通じて読み出せます。

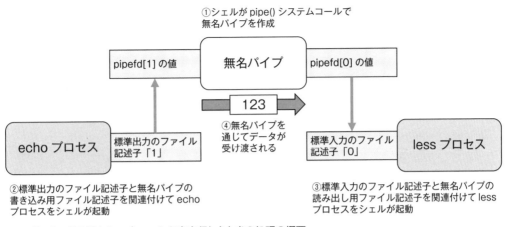

①シェルが pipe() システムコールで
無名パイプを作成

pipefd[1] の値　　無名パイプ　　pipefd[0] の値

123

④無名パイプを
通じてデータが
受け渡される

echo プロセス　　標準出力のファイル
記述子「1」

標準入力のファイル
記述子「0」　　less プロセス

②標準出力のファイル記述子と無名パイプの
書き込み用ファイル記述子を関連付けて echo
プロセスをシェルが起動

③標準入力のファイル記述子と無名パイプの
読み出し用ファイル記述子を関連付けて less
プロセスをシェルが起動

図7 「echo "123" | less」コマンドを実行したときの処理の概要

標準入出力とパイプとの関連付けの状況は、「/proc/プロセスID/fd」ディレクトリーを調べると分かります。このディレクトリーには、プロセスIDが示すプロセスに割り当てられたファイル記述子に対応するファイルが表示されます。

次のコマンドを実行してください[3]。

```
$ echo "123" | sleep 1000 & ⏎
$ ls -l /proc/$(pidof sleep)/fd ⏎
```

すると、図8のように表示されます。これは、sleepコマンドのプロセスの標準入力（ファイル記述子は「0」）が、「pipe:[iノード番号]」で示されるパイプと関連付けられている（リダイレクトされている）ことを示しています。

---

*2　一部のアーキテクチャーではインタフェースが若干異なります。また、パイプの入出力モードなどを指示するフラグを設定可能なpipe2()システムコールでもパイプを作成できます。詳細については、pipe()/pipe2()システムコールのオンラインマニュアルを参照してください。

*3　このコマンド実行例と次のコマンド実行例は、ファイル記述子の関連付けを調べやすくするためのものです。これらの実行例では、sleepコマンドは実際にはパイプを通じてデータをやり取りしません。

217

第9章　プロセス間通信の仕組み

```
$ echo "123" | sleep 1000 & ⏎

$ ls -l /proc/$(pidof sleep)/fd ⏎

合計 0

lr-x------ 1 sueyasu sueyasu 64  5月 13 07:50 0 -> 'pipe:[673021]'

lrwx------ 1 sueyasu sueyasu 64  5月 13 07:50 1 -> /dev/pts/0

lrwx------ 1 sueyasu sueyasu 64  5月 13 07:50 2 -> /dev/pts/0
```

標準入力にパイプが
割り当てられている

図8　パイプ使用時に「/proc/プロセスID/fd」ディレクトリーを表示した例（その1）

続いて、次のコマンドを実行してください。

```
$ killall sleep ⏎

$ sleep 1000 | echo "123" & ⏎

$ ls -l /proc/$(pidof sleep)/fd ⏎
```

今度は、**図9**のように表示されます。これは、sleepコマンドのプロセスの標準出力（ファイル記述子は「1」）が、「pipe:[iノード番号]」で示されるパイプと関連付けられていることを示しています。

```
$ killall sleep ⏎

$ sleep 1000 | echo "123" & ⏎

$ ls -l /proc/$(pidof sleep)/fd ⏎

合計 0

lrwx------ 1 sueyasu sueyasu 64  5月 13 07:51 0 -> /dev/pts/0

l-wx------ 1 sueyasu sueyasu 64  5月 13 07:51 1 -> 'pipe:[673021]'

lrwx------ 1 sueyasu sueyasu 64  5月 13 07:51 2 -> /dev/pts/0
```

標準出力にパイプが
割り当てられている

図9　パイプ使用時に「/proc/プロセスID/fd」ディレクトリーを表示した例（その2）

## 名前付きパイプの作成とアクセス

　名前付きパイプは、次のようなインタフェースを持つmkfifo()などのCライブラリ関数で作成できます。

```
int mkfifo(const char *pathname, mode_t mode);
```

　mkfifo()関数は、デバイスファイルの作成などに用いられるmknodat()システム
コールを呼び出します。このとき、カレントディレクトリーをパスの起点とするこ
とを指示する「AT_FDCWD」と、名前付きパイプの作成を指示する「S_IFIFO」
という定数を次のように設定します。

```
mknodat(AT_FDCWD, pathname, mod | S_IFIFO, 0)
```

　名前付きパイプを作成する「mkfifo」コマンドを実行した場合にも、この流れで
mknodat()システムコールが実行されます。
　例えば、「/tmp」ディレクトリーに「test_pipe」という名前付きパイプを作成す
るには、次のようにmkfifoコマンドを実行します。

```
$ mkfifo /tmp/test_pipe ⏎
```

　この名前付きパイプを使ってデータをやり取りするには、例えば、次のようにコ
マンドを実行します。

```
$ echo "123" > /tmp/test_pipe & ⏎
$ less < /tmp/test_pipe ⏎
```

　この場合、シェルはまず/tmp/test_pipeを書き込みモードでオープンしてファイ
ル記述子を取得し、それを標準出力と関連付けてechoコマンドを実行します[*4]。
続いてシェルは、/tmp/test_pipeを読み出しモードでオープンしてファイル記述子
を取得し、それを標準入力と関連付けてlessコマンドを実行します（**図10**）。それに
よって、echoコマンドが標準出力を通じて出力したデータは/tmp/test_pipeに書き
込まれ、lessコマンドは/tmp/test_pipeのデータを標準入力を通じて読み出せます。

---

*4　実際には、このようにした場合、名前付きパイプからデータを読み出すまでechoコマンドの実行がブロックされま
　　す。

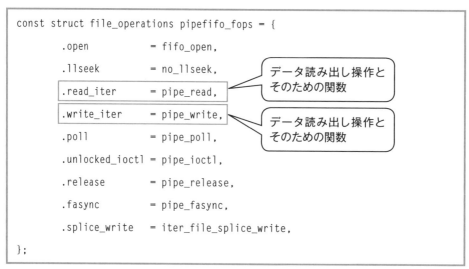

①mkfifo コマンドなどで名前付き
パイプを作成しておく

書き込みモードで
オープンして得られ
るファイル記述子

名前付きパイプ
/tmp/test_pipe

読み出しモードで
オープンして得られ
るファイル記述子

123

④名前付きパイプ
を通じてデータが
受け渡される

echo プロセス

標準出力のファイル
記述子「1」

標準入力のファイル
記述子「0」

less プロセス

②シェルが /tmp/test_pipe を書き込みモードで
オープンしてファイル記述子を取得し、それを
標準出力と関連付けて echo コマンドを実行

③シェルが、/tmp/test_pipe を読み出しモード
でオープンしてファイル記述子を取得し、それを
標準入力と関連付けて less コマンドを実行

図10　名前付きパイプを利用したデータ受け渡し処理の例

## パイプに対して可能な操作

　パイプに対して可能な操作と、その操作のための関数は、「fs/pipe.c」ファイルで
定義されているpipefifo_fops構造体を見ると分かります（**図11**）。

```
const struct file_operations pipefifo_fops = {
        .open           = fifo_open,
        .llseek         = no_llseek,
        .read_iter      = pipe_read,
        .write_iter     = pipe_write,
        .poll           = pipe_poll,
        .unlocked_ioctl = pipe_ioctl,
        .release        = pipe_release,
        .fasync         = pipe_fasync,
        .splice_write   = iter_file_splice_write,
};
```

データ読み出し操作と
そのための関数

データ読み出し操作と
そのための関数

図11　パイプに対して可能な操作と、その操作のための関数を定義するpipefifo_fops構造体
「fs/pipe.c」ファイル内でこのように定義されています。

　例えば、データを読み出す「read_iter」操作が可能で、それに対応する関数は
pipe_read()です。また、データを書き込む「write_iter」操作も可能で、それに対
応する関数はpipe_write()です。いずれの関数も、fs/pipe.cファイルで定義されてい

ます。

　実際にこれらの関数が実行されることを確認してみましょう。ここでは、pipe_write()関数を書き換えて、パイプバッファーに新しいメモリーページが割り当てられた際に、書き込まれたデータの先頭部分（最大15文字）をカーネルメッセージとして表示するようにします。

　具体的には、pipe_write()関数の**図12**に示す部分に枠線内のコードを追加します。

```
static ssize_t
pipe_write(struct kiocb *iocb, struct iov_iter *from)
{
(略)

                        pipe->tmp_page = NULL;


                        copied = copy_page_from_iter(page, 0, PAGE_SIZE, from);
                        unsigned char out_buf[16];
このコードを挿入 →     strscpy(out_buf, page_address(page), 16);
                        printk("pipe data = %s\n", out_buf);

                        if (unlikely(copied < PAGE_SIZE && iov_iter_count(from))) {
(略)
```

**図12　pipe_write()関数の書き換え例**
fs/pipe.cファイルの該当部分をこのように書き換えることで、パイプバッファーに新しいメモリーページが割り当てられた際に、書き込まれたデータの先頭部分（最大15文字）がカーネルメッセージとして表示されます。

　コードの追加後、カーネルをビルドして、そのカーネルでUbuntu 24.04 LTSまたはAlmaLinux OS 9を起動してください。そして、例えば、次のコードを実行します。

```
$ echo "TEST DATA 0123456789" | cat
```

　実行後、次のコマンドを実行すると「pipe data = 」という文字列に続いてパイプに渡したデータの先頭の最大15文字が表示されます。

```
$ sudo dmesg
```

(略)

```
pipe data = TEST DATA 01234
```

(略)

# 第10章

# 仮想化機能
# 「KVM」の仕組み

　本章では、仮想化機能「KVM」(Kernel-based Virtual Machine)
の仕組みについて解説します。KVM は、仮想的な PC 環境（仮想マ
シン）の稼働を制御する「ハイパーバイザー」と呼ばれるソフトウエ
アの一種です。KVM を利用することで、高速に仮想マシンを稼働で
きます。本章では、KVM が利用する、CPU の仮想化支援機構の概
要についても紹介します。

「仮想化ソフト」と呼ばれるソフトウエアを利用すると、「仮想マシン」と呼ばれる仮想的なコンピュータ環境を作成でき、その上でさまざまなOSやアプリケーションを稼働できます。仮想マシンは手軽に作成、削除が可能な上、割り当てるハードウエアリソース量（例えば、主メモリー量など）を柔軟に変更できるので、とても便利です。

仮想化ソフトの中核をなすのが「ハイパーバイザー*1」と呼ばれるソフトウエアです。ハイパーバイザーの役割は、相互の環境を破壊したり、利用する資源の競合が生じたりしないように、ホストOSとゲストOS、ゲストOS同士などを調停しながら稼働させることです*2。

例えば、CPUの動作モードを変更する命令の実行を横取りして処理内容を調整したり、使用するメモリー領域が重ならないように物理メモリーページの割り当てを変換したりする作業をします。

2007年2月に公開されたバージョン2.6.20のLinuxカーネルから利用できる「KVM」（Kernel-based Virtual Machine）は、このハイパーバイザー機能を提供する仕組みです。

## 仮想化支援機構が必要

KVMは非常にシンプルに実装されています。最初のバージョンは、8000行程度の短いコードで実装されていました。

実装をシンプルにできた大きな理由は、CPUの「仮想化支援機構」の利用を前提に開発されたからです。仮想化支援機構とは、ゲストOSの処理をハイパーバイザーで調停しやすいようにするハードウエア機構のことです。

x86プロセッサでは、「Intel VT-x*3」または「AMD-V*4」という名前で仮想化支援機構が提供されています。2024年時点では、ほぼすべてのx86プロセッサが仮想化支援機構を備えています。ただし、BIOSやUEFIで仮想化支援機構を無効にする設定がなされている場合があり、その場合には（設定を変更しない限り）KVMを利用できません。

CPUが仮想化支援機構を備えているかどうかは、図1に示すようにlscpuコマンド

を実行すると分かります。出力されるメッセージの「仮想化:」（あるいは「Virtualization:」）項目に、「VT-x」または「AMD-V」と表示されていれば、仮想化支援機構を備えています。

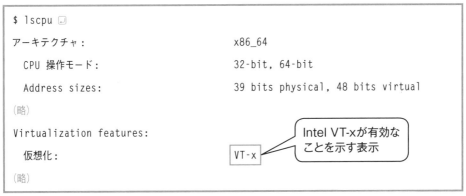

**図1　仮想化支援機構が有効な場合のlscpuコマンドの表示例**
「仮想化:」（あるいは「Virtualization:」）項目に「VT-x」または「AMD-V」と表示されていれば、CPUが仮想化支援機構を備えています。

Ubuntu 24.04 LTSとAlmaLinux OS 9では、KVM関連機能はモジュール化して提供されています。モジュールは、仮想化支援機構が有効な環境では自動的に組み込まれる設定になっています。次のコマンドを実行して、「kvm」と、「kvm_intel」または「kvm_amd」というモジュールが組み込まれていれば、KVMを利用できます[5]。

```
$ lsmod | grep ^kvm ⏎
```

---

*1　「仮想マシンモニター」と呼ばれることもあります。
*2　ここでは、仮想化ソフトの稼働環境となるOSを「ホストOS」、仮想化ソフト上で稼働するOSを「ゲストOS」と呼びます。
*3　米Intel社のCPUでは、この名前で提供されています。
*4　米Advanced Micro Devices社（AMD）のCPUでは、この名前で提供されています。なお、「AMD SVM」と呼ばれることもあります。
*5　「kvm」はKVMの本体機能を提供するモジュール、「kvm_intel」「kvm_amd」はIntel VT-xまたはAMD-Vの制御用モジュールです。後者のモジュールが分かれているのは、Intel VT-xとAMD-Vの仕様が異なるからです。

## 10-2 QEMUと組み合わせて利用する手順

　KVMが提供するのは、前述の通りハイパーバイザー機能のみです。そのため、仮想化ソフトとして利用するには、何らかの別のソフトウエアと組み合わせる必要があります。

　KVMと組み合わせて利用できるソフトウエアの一つが、第6章で紹介したPCエミュレーターソフト「QEMU」です。ここでは、Ubuntu 24.04 LTS と AlmaLinux OS 9で、QEMUとKVMを使って仮想マシンを作成して稼働するまでの手順を簡単に紹介します。

　QEMUとその関連ツールは、Ubuntu 24.04 LTSでは、次のコマンドを実行するとインストールできます。

```
$ sudo apt install qemu-system-x86 ⏎
```

　AlmaLinux OS 9では、次のコマンドを実行するとインストールできます。このコマンドでは、GUI環境もインストールし、それが自動的に起動する設定にしています。コマンド実行後は、システムを再起動してください。

```
$ sudo dnf install qemu-kvm langpacks-ja tigervnc ⏎
$ sudo ln -s /usr/libexec/qemu-kvm /usr/bin/qemu-system-x86_64 ⏎
$ sudo dnf groupinstall "Server with GUI" ⏎
$ sudo localectl set-locale LANG=ja_JP.UTF-8
$ sudo systemctl set-default graphical.target ⏎
```

　最初に仮想マシンで使用する仮想ディスクのイメージファイルを作成します。QEMUの標準形式（QCOW2）で容量100Gバイトの「hdd.qcow2」という仮想ディスクイメージファイルは、次のコマンドを実行すると作成できます。

```
$ qemu-img create -f qcow2 hdd.qcow2 100G ⏎
```

仮想ディスクイメージファイルの作成後、次の書式でqemu-system-x86_64コマンドを実行することで、QEMUとKVMを利用して仮想マシンを起動できます*6。

```
sudo qemu-system-x86_64 -enable-kvm -m 主メモリー量 -smp CPU（コア）数
-hdd 仮想ディスクイメージファイル -cdrom 光ディスクイメージファイル -boot 起
動ディスク
```

「-enable-kvm」オプションを指定することで、KVMが利用されます*7。

例えば、光ディスクイメージファイル「ubuntu-24.04-desktop-amd64.iso」を使って、先ほど作成した仮想ディスクイメージファイルにUbuntu 24.04 LTSをインストールするには、次のようにコマンドを実行します。

```
$ sudo qemu-system-x86_64 -enable-kvm -m 4G -smp 2 -hdd hdd.qcow2 -
cdrom ubuntu-24.04-desktop-amd64.iso -boot d ⏎
```

「-boot d」オプション*8を指定することで、光ディスクイメージファイルからインストーラーを起動できます（**図2**）。この例では、仮想マシンに割り当てる主メモリー量を「4Gバイト」、CPUコア数を「2」と設定しています。

----

*6　分かりやすさを優先して、古い形式のオプションを紹介しています。
*7　「-enable-kvm」オプション指定時には、sudoコマンドを介してqemu-system-x86_64コマンドを実行します。sudoコマンドを不要にするには、「sudo gpasswd -a $USER kvm」コマンドを実行してから再ログインし、作業ユーザーを「kvm」グループに所属させてください。
*8　光ディスクイメージファイルを指定した状態で、仮想ディスクイメージファイルの方からOSなどを起動する場合は「-boot c」オプションを指定します。

図2　QEMUとKVMで稼働する仮想マシンでUbuntu 24.04 LTSのインストーラーが起動した様子

　AlmaLinux OS 9では、次のコマンドを実行すると仮想マシンの画面を表示できます。

```
$ vncviewer ::5900 ⏎
```

　Ubuntuのインストール後は、次のコマンドで仮想ディスクイメージファイルからUbuntuを起動できます。

```
$ sudo qemu-system-x86_64 -enable-kvm -m 4G -smp 2 -hdd hdd.qcow2 ⏎
```

## 10-3　CPUの仮想化支援機構の概要

　Intel VT-xやAMD-Vは何をする機構なのでしょうか。それを理解するために、まず、仮想化がない状態でのOSとアプリケーションの実行について見てみましょう。

　x86プロセッサを含む多くのCPUは、あらゆる操作が可能になる「特権モード*9」と、可能な操作を限定した「ユーザーモード*10」の最低二つの動作モードを備えています。そうしたCPUでは、OSを特権モードで、アプリケーションをユーザーモードで稼働させます（**図3**）。特権モードでなければできない操作をアプリケーションがした場合には、例外が発生し、それに応じてOSが（エラーメッセージを出すなどの）処理をします。

図3　OSを特権モードで、アプリケーションをユーザーモードで稼働させる

　Intel VT-xやAMD-Vではこれを発展させて、ハイパーバイザー稼働用の動作モードと仮想マシン稼働用の動作モードを、従来の動作モードとは別に新設しました（**図4**）。

---

　*9　スーパーバイザーモードやカーネルモードなどと呼ばれることもあります。

　*10　アプリケーションモードなどと呼ばれることもあります。

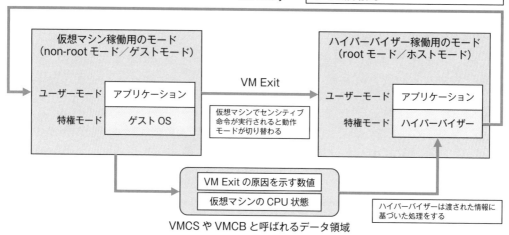

VM Entry

ハイパーバイザーの処理が終わると仮想マシン稼働用の
モードに切り替わる

仮想マシン稼働用のモード
（non-root モード／ゲストモード）

ユーザーモード　アプリケーション

特権モード　ゲスト OS

VM Exit

仮想マシンでセンシティブ
命令が実行されると動作
モードが切り替わる

ハイパーバイザー稼働用のモード
（root モード／ホストモード）

ユーザーモード　アプリケーション

特権モード　ハイパーバイザー

VM Exit の原因を示す数値

仮想マシンの CPU 状態

VMCS や VMCB と呼ばれるデータ領域

ハイパーバイザーは渡された情報に
基づいた処理をする

図4　Intel VT-xやAMD-Vで新設されたモードと処理の流れ

　ハイパーバイザー稼働用の動作モードのことを、Intel VT-xでは「rootモード」、
AMD-Vでは「ホストモード」と呼びます。Intel VT-xやAMD-Vの設定変更などは、
このモードでしか実行できません。特に設定しない場合には、CPUはこの動作モー
ドで稼働します。

　一方、仮想マシン稼働用の動作モードのことを、Intel VT-xでは「non-rootモード」、
AMD-Vでは「ゲストモード」と呼びます。この動作モードのときにハイパーバイザー
による調停が必要な命令（センシティブ命令）を実行すると、ハイパーバイザー稼
働用の動作モードに切り替える「VM Exit」処理が生じます。その際、どのような
命令の実行によってモード切り替えが生じたのかを示す数値や仮想マシンのCPU状
態を、専用のデータ領域[*11]に記録します。ハイパーバイザーは、その数値を基に
適切な処理ができます。そしてその処理後、仮想マシン用の動作モードに切り替え
る「VM Entry」処理を発生させて、仮想マシンの処理を再開します。

## メモリーアクセスを高速化する追加機構

　仮想マシンで使用する物理メモリーページは、最終的にはホストマシン内のいず
れかの物理メモリーページと対応付ける必要があります。

　初期のIntel VT-xやAMD-Vに対応するx86プロセッサには、この対応付けのた
めのハードウエア機構がありませんでした。そのためKVMをはじめとするハイパー
バイザーの多くは、ゲストOSが管理するページテーブルを基に「シャドーページ

テーブル」を作成し、それをCPUに参照させることで、この問題に対処していました（**図5**）。

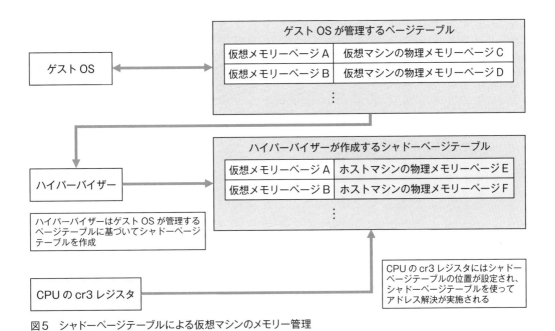

図5　シャドーページテーブルによる仮想マシンのメモリー管理

　しかし、この方法は処理に時間がかかります。正しい内容のシャドーページテーブルをCPUに参照させるには、ゲストOSが、**cr3レジスタ**\*を読み書きしたときと、ページテーブルの内容を書き換えたときに、毎回VM Exitしてハイパーバイザーで処理をし、再度VM Entryする必要があります。

　この手間を省いてメモリーアクセスを高速化するために、仮想化支援機構を備える最近のx86プロセッサの大部分には、「EPT」（Extended Page Table）もしくは「RVI」（Rapid Virtualization Indexing）というハードウエア機構が追加されています。EPTはIntel、RVIはAMDのCPUにある機構の名称です。

　これらはいずれも、仮想マシンの物理メモリーページとホストマシンの物理メモリーページを対応付けるテーブルをページテーブルの末尾に追加し、non-rootモードまたはゲストモード時には、それを使ってMMUがアドレス変換できるようにす

---

\*11　このデータ領域のことを、Intel VT-xでは「VMCS」（Virtual Machine Control Structure）、AMD-Vでは「VMCB」（Virtual Machine Control Block）と呼びます。
【cr3レジスタ】ページテーブルの位置を指し示す値（物理アドレス）を保持するレジスタ。詳しくは第5章を参照。

る仕組みです（**図6**）。これによって、VM Exitの発生頻度を減らせるため、処理速度を向上できます。

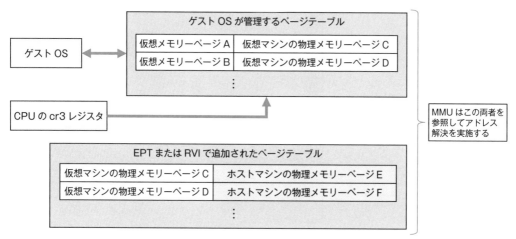

図6　EPTまたはRVIが有効なときの仮想マシン動作用のモードのページテーブル

　KVMは、EPTもしくはRVIが利用できる場合にはそれを使い、利用できない場合にはシャドーページテーブルを使って仮想マシンのメモリーを管理します。

　現在のCPUでEPTもしくはRVIが利用できるかどうかは、lscpuコマンドを実行して表示されるCPUの機能フラグ一覧に「ept」もしくは「npt＊12」という文字列があるかどうかで判断できます（**図7**）。文字列があれば、それらのハードウエア機構を利用できます。

```
$ lscpu ⏎
（略）
  フラグ：            fpu vme de pse tsc msr pae mce cx8 apic sep mtrr pge mca cmov
                     pat pse36 clflush dts acpi mmx fxsr sse sse2 ss ht tm pbe sy
                     scall nx pdpe1gb rdtscp lm constant_tsc art arch_perfmon pebs
                     bts rep_good nopl xtopology tsc_reliable nonstop_tsc cpuid a
                     perfmperf tsc_known_freq pni pclmulqdq dtes64 monitor ds_cpl
                     vmx est tm2 ssse3 sdbg cx16 xtpr pdcm sse4_1 sse4_2 x2apic mo
                     vbe popcnt tsc_deadline_timer aes xsave rdrand lahf_lm 3dnowp
                     refetch cpuid_fault cat_l2 ssbd ibrs ibpb stibp tpr_shadow fl
```

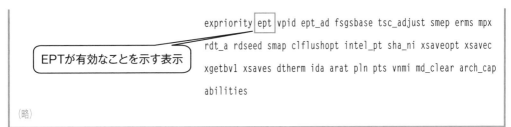

expriority ept vpid ept_ad fsgsbase tsc_adjust smep erms mpx
rdt_a rdseed smap clflushopt intel_pt sha_ni xsaveopt xsavec
xgetbv1 xsaves dtherm ida arat pln pts vnmi md_clear arch_cap
abilities

（略）

EPTが有効なことを示す表示

**図7　EPTが有効な場合のlscpuコマンドの表示例**

CPUの機能フラグに「ept」という文字列があればEPT、「npt」という文字列があればRVIが有効です。

---

＊12　RVIは当初、「NPT」（Nested Page Table）と呼ばれていました。そのため、この機能フラグ名になっています。

# 10-4 KVMの処理を調べる

　前述の通り、x86プロセッサにおけるKVMは、Intel VT-xやAMD-Vの利用を前提に開発されています。そのため、10-3節で説明した流れで各種の処理をします。例えば、センシティブ命令の一つである「CPUID」命令が仮想マシン内で実行された場合のKVMの処理を追いかけてみましょう。

　CPUID命令を実行すると、CPUの識別情報や対応機能を示す機能フラグなどの情報を取得できます（以下では、取得できる情報をCPUID情報とします）。Linuxカーネルは起動時にCPUID情報を取得し、その結果に応じて実行するコードを切り替えます。また、CPUID情報を「/proc/cpuinfo」ファイルを通じて、アプリケーションに提供します。前述したlscpuは、/proc/cpuinfoファイルなどから情報を収集して表示するコマンドです。

　CPUIDがセンシティブ命令に分類されている理由は、仮想マシンに提供するCPUID情報をハイパーバイザーが変更できるようにするためです。CPUID情報をハイパーバイザーが変更することで、「異なるホストマシンで同じスペックの仮想マシンを稼働させる」「仮想マシンで利用可能な機能を制限する」「ハイパーバイザーの種類を仮想マシンに通知する」といったことが可能になります。

　KVMでは、仮想マシンに提供するCPUID情報を「KVM_SET_CPUID」または「KVM_SET_CPUID2」という制御命令で設定できます。QEMUはこの制御命令を使って、デフォルトのCPU名「QEMU Virtual CPU version 番号」などをCPUID情報に設定します。

　KVM上で稼働する仮想マシンでCPUID命令が実行されたときの処理の流れを図8に示します。

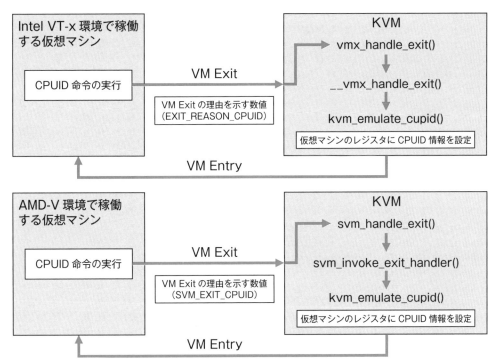

図8　仮想マシンでCPUID命令が実行されたときの処理の流れ

　まず、仮想マシン内でCPUID命令を実行することでVM Exitが発生します。このとき、VM Exitが生じた理由を示す数値がKVMに通知されます。

　具体的には、Intel VT-x環境では「arch/x86/include/uapi/asm/vmx.h」ファイルで定義される定数「EXIT_REASON_CPUID」の値である「10」が、AMD-V環境では「arch/x86/include/uapi/asm/svm.h」ファイルで定義される定数「SVM_EXIT_CPUID」の値である「0x072」（10進数では「114」）が通知されます。

　KVMは、通知された数値に基づいて処理用の関数を呼び出します。

　Intel VT-x環境では、「arch/x86/kvm/vmx/vmx.c」ファイルで定義されるvmx_handle_exit()関数から__vmx_handle_exit()関数が実行され、「kvm_vmx_exit_handlers」（図9）という名前の関数ポインタ配列から、「arch/x86/kvm/cpuid.c」ファイルで定義されるkvm_emulate_cpuid()関数が呼び出されます。

```
static int (*kvm_vmx_exit_handlers[])(struct kvm_vcpu *vcpu) = {
(略)

        [EXIT_REASON_CR_ACCESS]             = handle_cr,

        [EXIT_REASON_DR_ACCESS]             = handle_dr,

        [EXIT_REASON_CPUID]                 = kvm_emulate_cpuid,

        [EXIT_REASON_MSR_READ]              = kvm_emulate_rdmsr,

        [EXIT_REASON_MSR_WRITE]             = kvm_emulate_wrmsr,

(略)

        [EXIT_REASON_NOTIFY]                = handle_notify,

};
```

CPUID命令によって
VM Exitが生じた
場合に実行する関数

図9　関数ポインタ配列「kvm_vmx_exit_handlers」の定義コード（抜粋）
「arch/x86/kvm/vmx/vmx.c」ファイル内でこのように定義されています。

　AMD-V環境では、「arch/x86/kvm/svm/svm.c」ファイルで定義されるsvm_handle_exit()関数からsvm_invoke_exit_handler()関数が実行され、「svm_exit_handlers」（図10）という名前の関数ポインタ配列から、前述のkvm_emulate_cpuid()関数が呼び出されます。

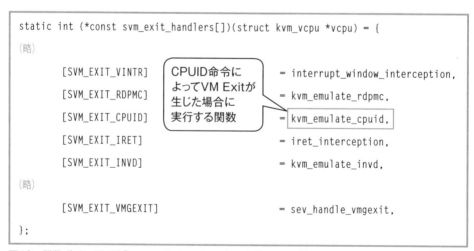

```
static int (*const svm_exit_handlers[])(struct kvm_vcpu *vcpu) = {
(略)

        [SVM_EXIT_VINTR]                    = interrupt_window_interception,

        [SVM_EXIT_RDPMC]                    = kvm_emulate_rdpmc,

        [SVM_EXIT_CPUID]                    = kvm_emulate_cpuid,

        [SVM_EXIT_IRET]                     = iret_interception,

        [SVM_EXIT_INVD]                     = kvm_emulate_invd,

(略)

        [SVM_EXIT_VMGEXIT]                  = sev_handle_vmgexit,

};
```

CPUID命令に
よってVM Exitが
生じた場合に
実行する関数

図10　関数ポインタ配列「svm_exit_handlers」の定義コード（抜粋）
「arch/x86/kvm/svm/svm.c」ファイル内でこのように定義されています。

　kvm_emulate_cpuid()関数（とそこから呼び出す関数群）によって、仮想マシンのCPUのレジスタに、KVMが変更したCPUID情報が設定されます。そしてKVM

側の処理を終えたら、VM Entrerを発生させて仮想マシンに戻り、そこでの処理を
再開します。

## VM Exit時に通知される数値を見る

　VM Exitの際にKVMに通知される数値を、カーネルメッセージとして出力する
ようにLinuxカーネルを改造してみましょう。

　Intel VT-xを利用している場合には、「arch/x86/kvm/vmx/vmx.c」ファイルで
定義されている__vmx_handle_exit()関数のコードを**図11**のように書き換えます。
printk()は、カーネルメッセージを出力するためのカーネル内関数です。

```
static int __vmx_handle_exit(struct kvm_vcpu *vcpu, fastpath_t exit_fastpath)
{
(略)
        if (exit_reason.basic >= kvm_vmx_max_exit_handlers)
                goto unexpected_vmexit;

        printk("vmx exit_code: %u\n", exit_reason.basic);

#ifdef CONFIG_RETPOLINE
        if (exit_reason.basic == EXIT_REASON_MSR_WRITE)
(略)
}
```

このコードを挿入

**図11　__vmx_handle_exit()関数の書き換え例**
「arch/x86/kvm/vmx/vmx.c」ファイルの該当部分をこのように書き換えることで、VM Exitの理由
を示す数値がカーネルメッセージとして出力されます。

　AMD-Vを利用している場合には、「arch/x86/kvm/svm/svm.c」ファイルで定義
されているsvm_invoke_exit_handler()関数のコードを**図12**のように書き換えます。

```
int svm_invoke_exit_handler(struct kvm_vcpu *vcpu, u64 exit_code)

{

        if (!svm_check_exit_valid(exit_code))

                return svm_handle_invalid_exit(vcpu, exit_code);

        printk("svm exit_code: 0x%03llx\n", exit_code);

#ifdef CONFIG_RETPOLINE

        if (exit_code == SVM_EXIT_MSR)

(略)
```

このコードを挿入

**図12 svm_invoke_exit_handler()関数の書き換え例**
「arch/x86/kvm/svm/svm.c」ファイルの該当部分をこのように書き換えることで、VM Exitの理由
を示す数値が16進数表記でカーネルメッセージとして出力されます。

　書き換えたら、カーネルをビルドしてインストールします。作業手順は基本的に第3章で紹介したものと同じですが、「CONFIG_KVM=m」「CONFIG_KVM_INTEL=m」「CONFIG_KVM_AMD=m」と設定するようにします。

　インストールしたカーネルでUbuntu 24.04 LTSまたはAlmaLinux OS 9を起動したら、「-enable-kvm」オプションを付けてqemu-system-x86_64コマンドを実行し、仮想マシンを稼働させます。その状態で、別の端末から次のコマンドを実行してください。それにより、カーネルメッセージが表示されます。

```
$ sudo dmesg ⏎
```

　「vmx exit_code 数値」または「svm exit_code 数値」という書式の行が、例えば、**図13**のように大量に出力されます[13]。これらの行に、VM Exit時に通知された数値が表示されます。

```
$ sudo dmesg ⏎
（略）
[  382.860675] vmx exit_code: 12
[  382.919433] vmx exit_code: 32
[  382.919475] vmx exit_code: 32
[  382.919642] vmx exit_code: 32
[  382.919651] vmx exit_code: 12
（略）
```

図13 書き換え後のカーネル上でカーネルメッセージを表示した例

　数値の意味は、Intel VT-xなら「arch/x86/include/uapi/asm/vmx.h」ファイルで定義される定数（**図14**）を見ると分かります。例えば、「12」は定数「EXIT_REASON_HLT」に対応付けられています。これは、CPUを停止させる「HLT」命令が仮想マシンで実行されたために、VM Exitが生じたことを示します。

```
（略）
#define VMX_EXIT_REASONS_FAILED_VMENTRY        0x80000000
#define VMX_EXIT_REASONS_SGX_ENCLAVE_MODE      0x08000000


#define EXIT_REASON_EXCEPTION_NMI        0
#define EXIT_REASON_EXTERNAL_INTERRUPT   1
#define EXIT_REASON_TRIPLE_FAULT         2
#define EXIT_REASON_INIT_SIGNAL          3
#define EXIT_REASON_SIPI_SIGNAL          4


#define EXIT_REASON_INTERRUPT_WINDOW     7
#define EXIT_REASON_NMI_WINDOW           8
#define EXIT_REASON_TASK_SWITCH          9
#define EXIT_REASON_CPUID                10
#define EXIT_REASON_HLT                  12
```

＊13　図13の表示例は、Intel VT-xを利用している場合のものです。

```
#define EXIT_REASON_INVD                     13

#define EXIT_REASON_INVLPG                   14

#define EXIT_REASON_RDPMC                    15

（略）
```

図14 「arch/x86/include/uapi/asm/vmx.h」ファイルで定義される定数（抜粋）
これらの定義を見ることでVM Exit時に渡される数値の意味が分かります。

AMD-Vなら「arch/x86/include/uapi/asm/svm.h」ファイルで定義される定数（**図15**）を見ると、数値の意味が分かります。例えば、「0x078」は、HLT命令の実行がVM Exitの理由であることを示す定数「SVM_EXIT_HLT」と対応付けられています。なお、同ファイルでは、VM Exitの理由を示す定数に16進数の数値が対応付けられます。そのため、図12に示した追加コードでは、数値を16進数表記しています。

```
（略）

#define SVM_EXIT_IDTR_WRITE     0x06a

#define SVM_EXIT_GDTR_WRITE     0x06b

#define SVM_EXIT_LDTR_WRITE     0x06c

#define SVM_EXIT_TR_WRITE       0x06d

#define SVM_EXIT_RDTSC          0x06e

#define SVM_EXIT_RDPMC          0x06f

#define SVM_EXIT_PUSHF          0x070

#define SVM_EXIT_POPF           0x071

#define SVM_EXIT_CPUID          0x072

#define SVM_EXIT_RSM            0x073

#define SVM_EXIT_IRET           0x074

#define SVM_EXIT_SWINT          0x075

#define SVM_EXIT_INVD           0x076

#define SVM_EXIT_PAUSE          0x077

#define SVM_EXIT_HLT            0x078

#define SVM_EXIT_INVLPG         0x079

#define SVM_EXIT_INVLPGA        0x07a

（略）
```

図15 「arch/x86/include/uapi/asm/svm.h」ファイルで定義される定数（抜粋）
これらの定義を見ることでVM Exit時に渡される数値の意味が分かります。

### CPUID情報に機能フラグを追加する

　続いて、仮想マシン内でCPUID命令を実行したときに得られるCPUID情報を変更してみましょう。ここでは、一般的なx86プロセッサには存在しない「ia64[*14]」という機能フラグをCPUID情報に追加します。

　書き換えるのは、CPUID情報を設定するkvm_emulate_cpuid()関数です。「arch/x86/kvm/cpuid.c」ファイルで定義されるkvm_emulate_cpuid()関数を**図16**のように書き換えてください。

```
int kvm_emulate_cpuid(struct kvm_vcpu *vcpu)
{
(略)

        kvm_cpuid(vcpu, &eax, &ebx, &ecx, &edx, false);
(略)

}
EXPORT_SYMBOL_GPL(kvm_emulate_cpuid);
```

```
int kvm_emulate_cpuid(struct kvm_vcpu *vcpu)
{
(略)

        if (eax == 1) {
                kvm_cpuid(vcpu, &eax, &ebx, &ecx, &edx, false);
                edx |= (1 << X86_FEATURE_IA64);
        } else {
                kvm_cpuid(vcpu, &eax, &ebx, &ecx, &edx, false);
        }
(略)

}
EXPORT_SYMBOL_GPL(kvm_emulate_cpuid);
```

**図16　kvm_emulate_cpuid ()関数の書き換え例**
「arch/x86/kvm/cpuid.c」ファイルの該当部分をこのように書き換えることで、仮想マシンで得られるCPUID情報の機能フラグに「ia64」が追加されます。

---

＊14　この機能フラグは、かつてIntel社が販売していた「Itanium」シリーズのCPUで設定されるものです。

機能フラグは、eaxレジスタに「1」を設定してCPUID命令を実行すると取得できます。結果はedxレジスタに格納されます。そのため、図17に示した追加コードでは、eaxレジスタの内容が「1」かどうかを調べ、「1」の場合には、edxレジスタの数値に、ia64機能フラグを示す数値（「1 << X86_FEATURE_IA64」で得られる数値）をOR演算で加算しています。

書き換えたら、カーネルをビルドしてインストールします。作業手順は基本的に第3章で紹介したものと同じですが、「CONFIG_KVM=m」「CONFIG_KVM_INTEL=m」「CONFIG_KVM_AMD=m」と設定するようにします。

インストールしたカーネルでUbuntu 24.04 LTSまたはAlmaLinux OS 9を起動したら、「-enable-kvm」オプションを付けてqemu-system-x86_64コマンドを実行し、UbuntuなどのLinuxディストリビューションの仮想マシンを稼働させます。

仮想マシンが起動したら、その中でlscpuコマンドを実行して機能フラグを調べてください。図17のように「ia64」という機能フラグが追加されています。

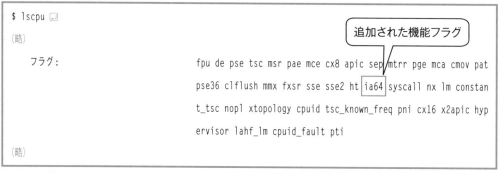

**図17　仮想マシン内におけるlscpuコマンドの表示例**
KVMを改造したことで、CPUの機能フラグに本来存在しないはずの「ia64」という文字列が表示されています。

# 索引

**捕捉・訂正情報および関連コンテンツのダウンロード方法**

本書籍の捕捉・訂正がある場合は下記 URL のページに記載します。また、本書を購入した方は関連コンテンツをダウンロードできます。下記 URL を開き、「関連コンテンツのダウンロード」のリンクをクリックしてください。認証画面が出た場合はユーザー名「linux」、パスワード「download」を入力してください。

ダウンロードページの URL
https://nkbp.jp/lin-kernel-book2

動かしながらゼロから学ぶ
# Linuxカーネルの教科書　第2版

2020年9月14日　第1版第1刷発行
2024年7月22日　第2版第1刷発行

| | | |
|---|---|---|
| 著　　　者 | 末安 泰三 | |
| 発　行　者 | 浅野 祐一 | |
| 編　　　集 | 露木 久修 | |
| 発　　　行 | 株式会社日経BP | |
| 発　　　売 | 株式会社日経BP マーケティング | |
| | 〒105-8308　東京都港区虎ノ門4-3-12 | |
| 装　　　丁 | 横田 めぐみ（株式会社JMCインターナショナル） | |
| 制　　　作 | 株式会社JMC インターナショナル | |
| 印刷・製本 | TOPPANクロレ株式会社 | |

©Taizo Sueyasu 2024
**ISBN　978-4-296-20549-3**　　Printed in Japan